▶十二支の動物を折りましょう。
お正月の飾りに

子《ね》

●ねずみ（P14-15）

丑《うし》

●うし（P16-17）

干支《えと》編

寅《とら》

●とら（P18-19）

卯《う》

●うさぎ（P20-21）

辰《たつ》

●たつ（P22-23）

巳《み》

●へび（P24-25）

未《ひつじ》

●ひつじ（P28-29）

午《うま》

●うま（P26-27）

申《さる》

●さる（P30-31）

酉《とり》

●にわとりとひよこ（P32-33）

戌《いぬ》

●いぬ（P34-35）

亥《い》

●いのしし（P36-37）

▶海外の十二支や、十二支の物語にちなんで。辰年に人気のタツノオトシゴも

●ぶた（P45-47）

●ねこ（P42-44）

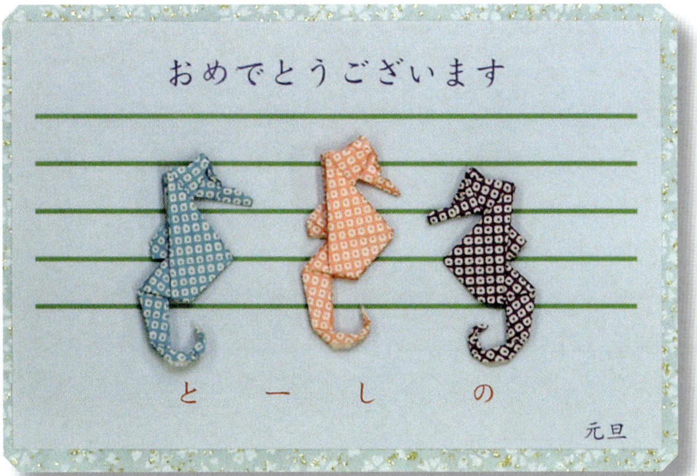

●タツノオトシゴ（P48-49）

▶十二支の年賀状を作りましょう

▶立体作品はカードに

かぶと
編

●かぶと（P51）

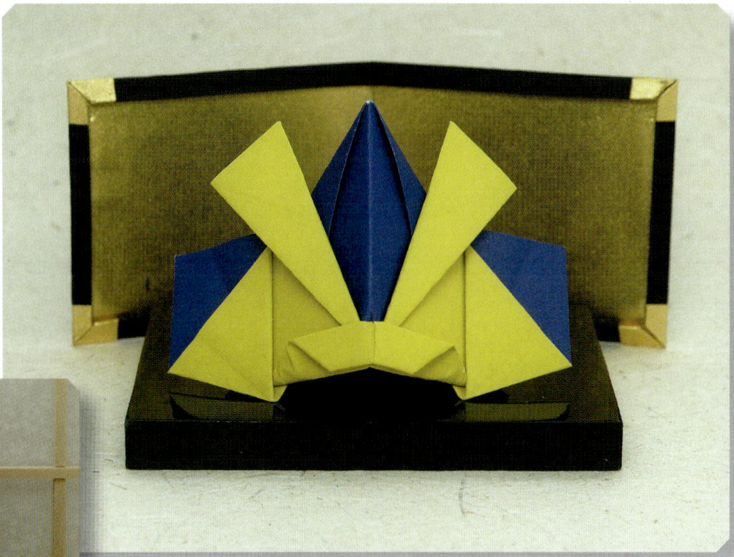

●かぶと（P52-53）

●かぶと（P54-56）

▶端午の節供飾りに
３種のかぶとをお好みで

▶かぶとを色紙作品に

台紙……寸松庵色紙
（13.5cm×12cm）
かぶと…15cm×15cm

●収納台
（P57-59）

▶かぶとを飾って
中にしまいましょう

（ふただけでも飾り台として使えます）

●びょうぶ（P60）

▶びょうぶはお正月飾りや
ひな祭りにも使えます

干支《えと》とかぶとを折る

～松野幸彦おりがみ作品集～

《作者紹介》

松野幸彦（まつの　ゆきひこ）

1956年（申《さる》年）生まれ

東京都在住

著書は、丹羽兌子さんとの共著

『おりがみでペットを折ろう 人気ペット大集合！』2002年いしずえ発行

▶P61-62「作者の松野幸彦さんにききました」もご覧ください（編）

もくじ Contents

口絵……………………………………1～8
もくじ…………………………………10～11
折り方の記号、基本形………………12～13
奥付……………………………………64

干支編

◇ねずみ（子）
＊＊
▶14～15

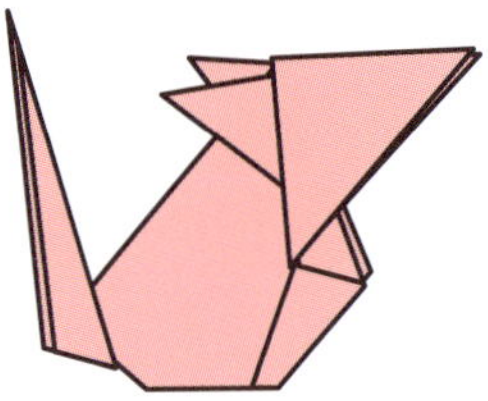

◇うし（丑）
＊＊
▶16～17

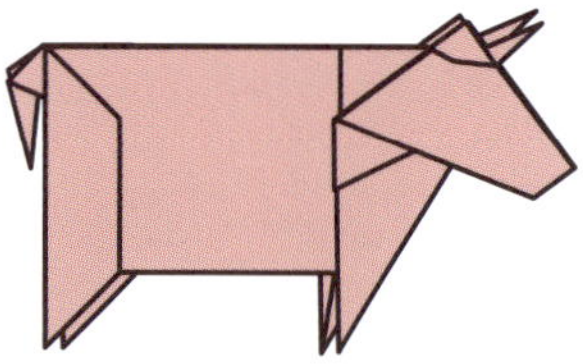

◇とら（寅）
＊＊
▶18～19

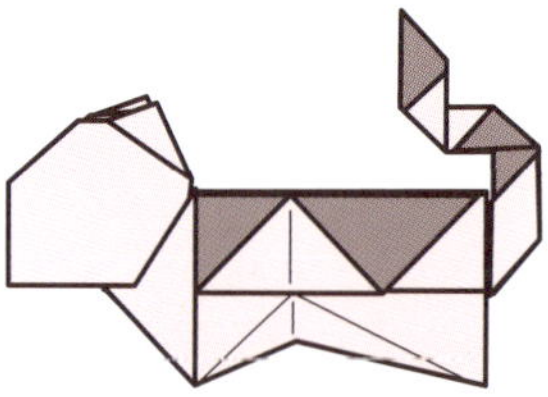

◇うさぎ（卯）
＊＊
▶20～21

◇たつ（辰）
＊＊
▶22～23

◇へび（巳）
＊＊
▶24～25

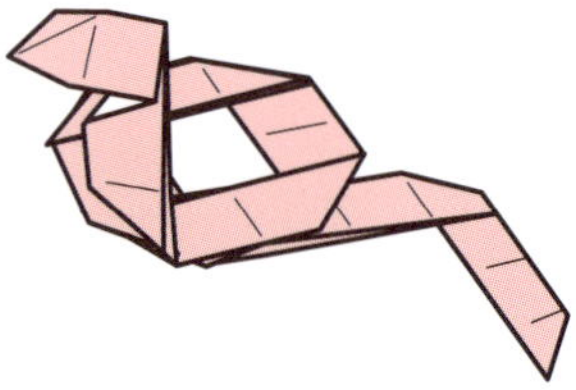

◇うま（午）
＊＊
▶26～27

◇ひつじ（未）
＊＊
▶28～29

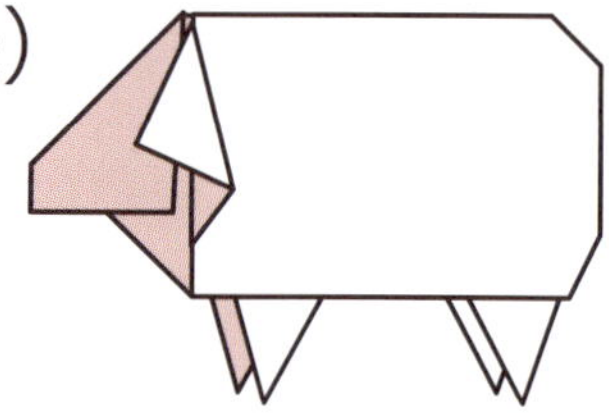

◇さる（申）
＊＊
▶30～31

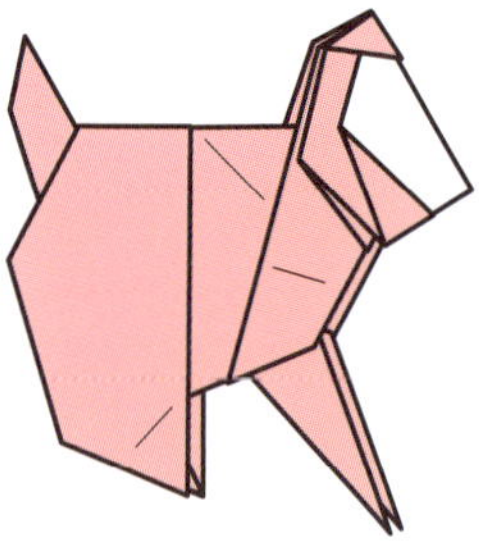

◇にわとりとひよこ（酉）
＊＊
▶32～33

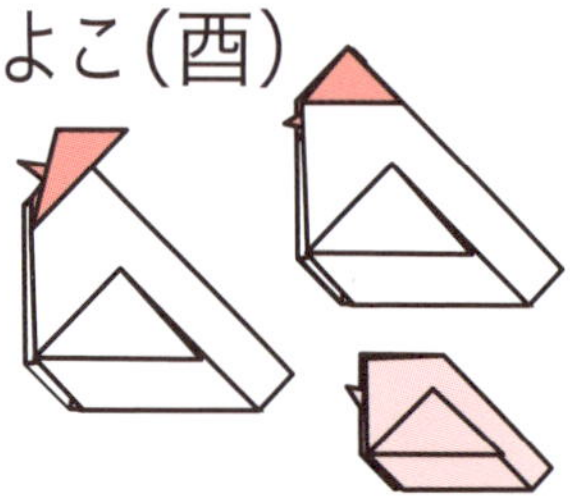

◇いぬ（戌）
＊＊
▶34～35

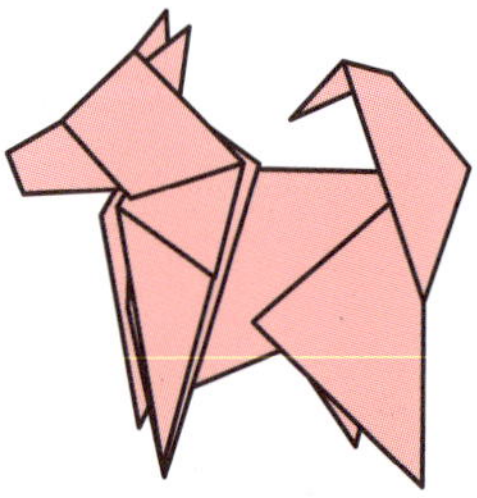

◇いのしし（亥）
＊＊
▶36～37

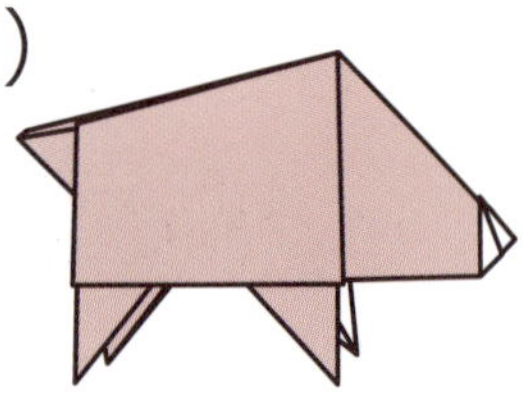

《干支《えと》あれこれ》…………………………… 38～39

《十二支ものがたり》………………………… 40～41

◇ねこ
＊＊
▶ 42～44

◇ぶた
＊＊
▶ 45～47

◇タツノオトシゴ
＊＊
▶ 48～49

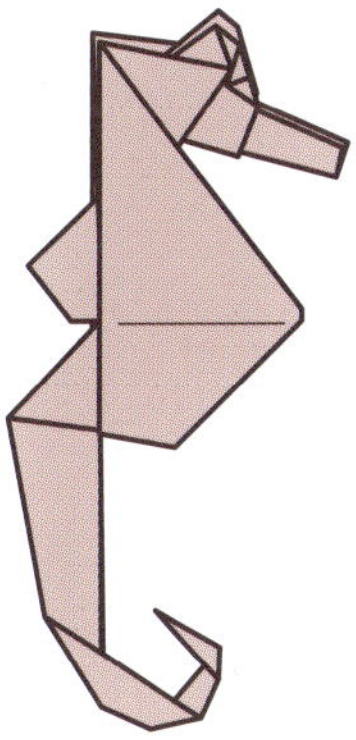

《ものしり十二支の動物》… 50

かぶと編

◇かぶと
＊＊
▶ 51

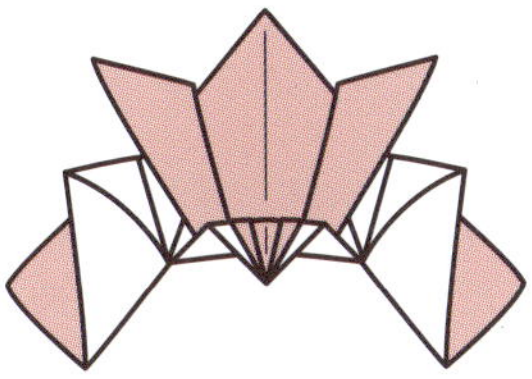

◇かぶと
＊＊
▶ 52～53

◇かぶと
＊＊
▶ 54～56

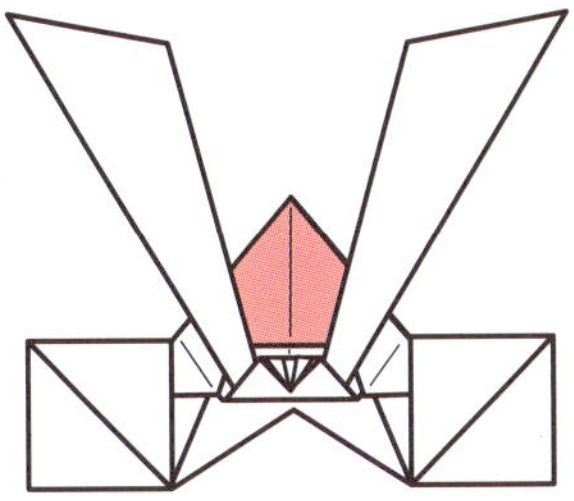

◇収納台
＊＊
▶ 57～59

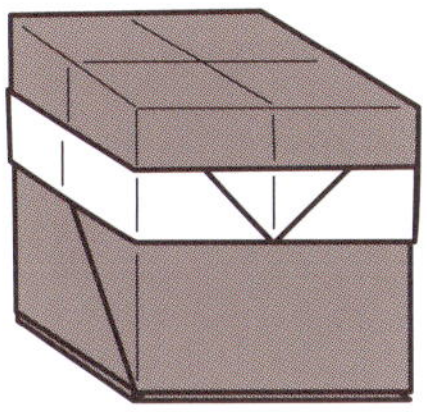

◇びょうぶ
＊＊
▶ 60

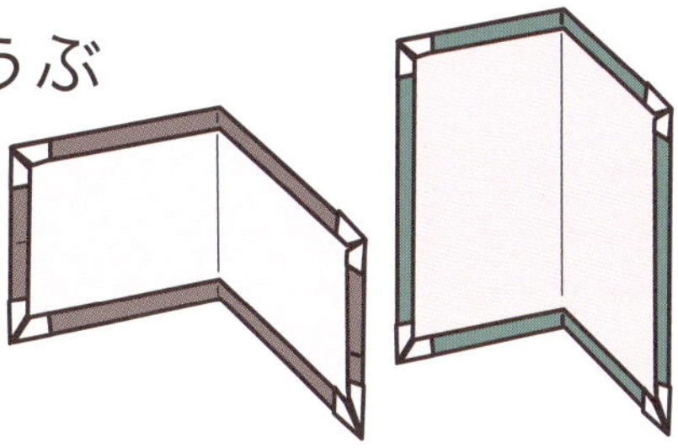

《作者の松野幸彦さんにききました》……… 61～62

《日本折紙協会案内》………………………………… 63

動物 と かぶとを 折《お》り始《はじ》める前《まえ》に

折《お》り紙《がみ》を折《お》る前《まえ》に記号《きごう》をおぼえましょう
Please learn the symbols and the basic folds.

折《お》り方《かた》の記号《きごう》 SYMBOLS

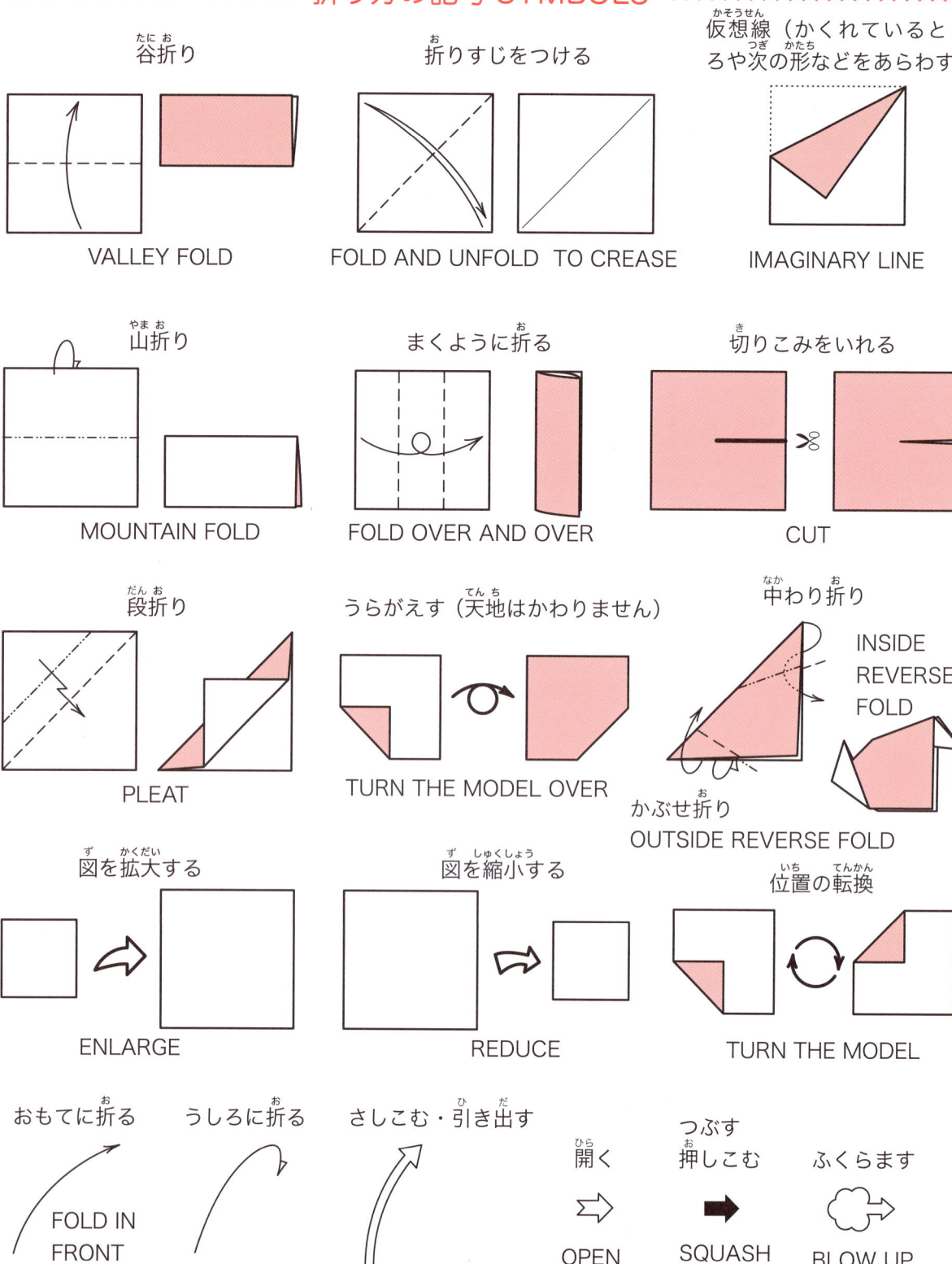

谷《たに》折《お》り

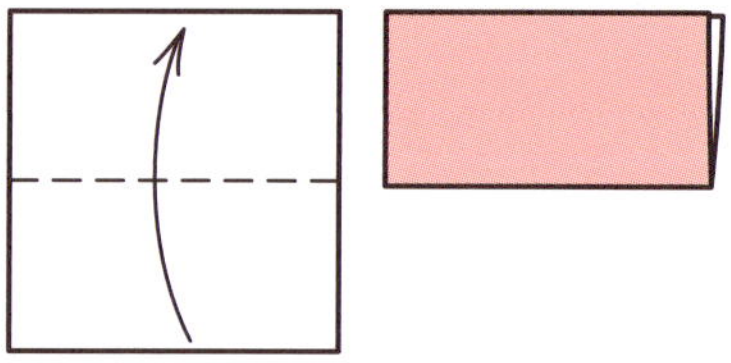

VALLEY FOLD

折《お》りすじをつける

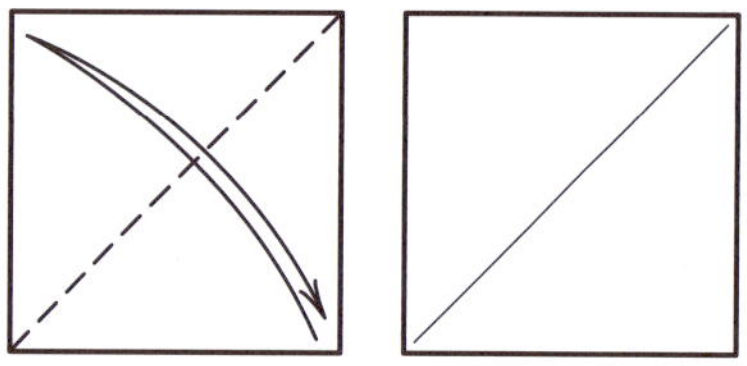

FOLD AND UNFOLD TO CREASE

仮想線《かそうせん》（かくれているところや次《つぎ》の形《かたち》などをあらわす）

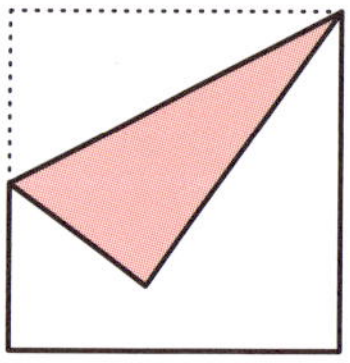

IMAGINARY LINE

山《やま》折《お》り

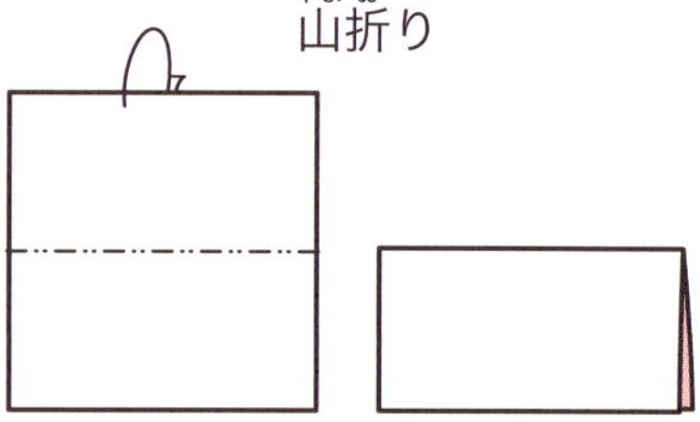

MOUNTAIN FOLD

まくように折《お》る

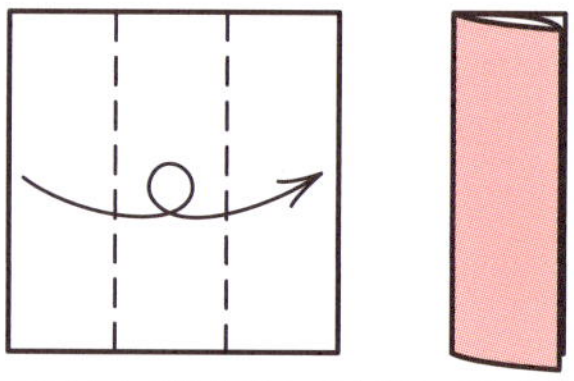

FOLD OVER AND OVER

切《き》りこみをいれる

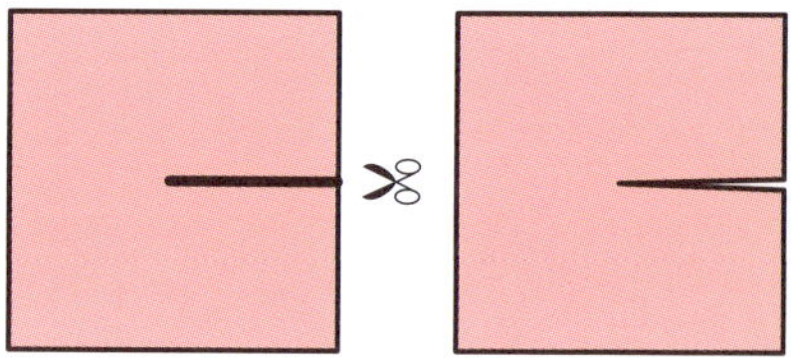

CUT

段《だん》折《お》り

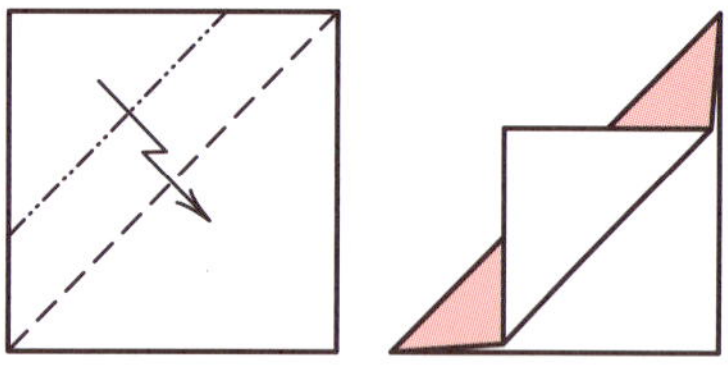

PLEAT

うらがえす（天地《てんち》はかわりません）

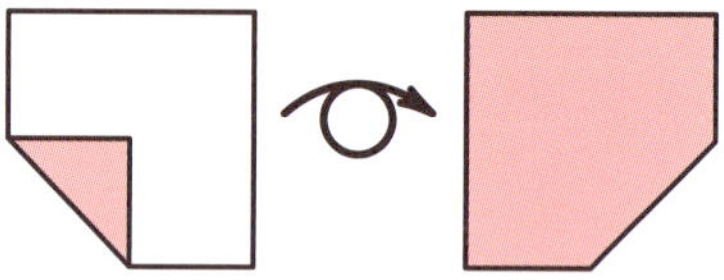

TURN THE MODEL OVER

中《なか》わり折《お》り

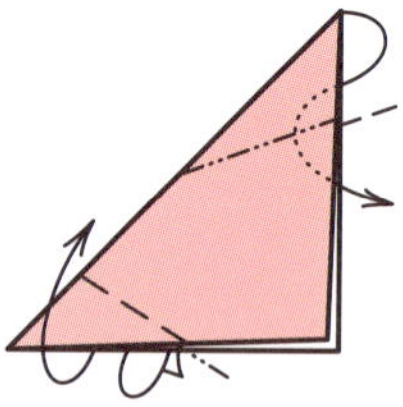

INSIDE REVERSE FOLD

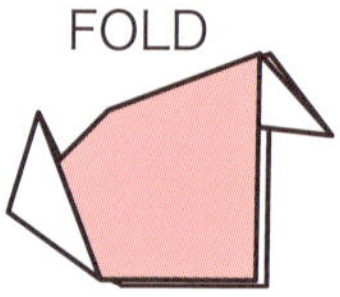

かぶせ折《お》り
OUTSIDE REVERSE FOLD

図《ず》を拡大《かくだい》する

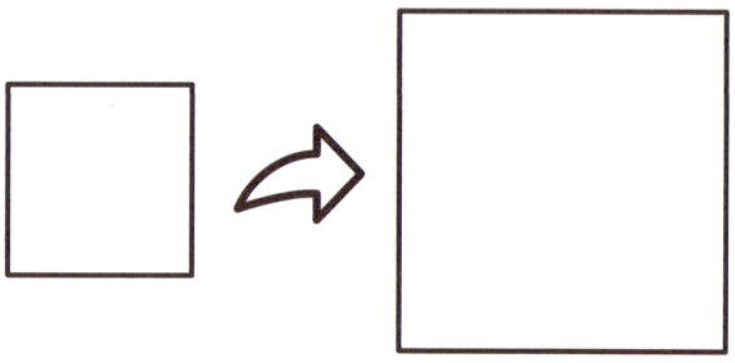

ENLARGE

図《ず》を縮小《しゅくしょう》する

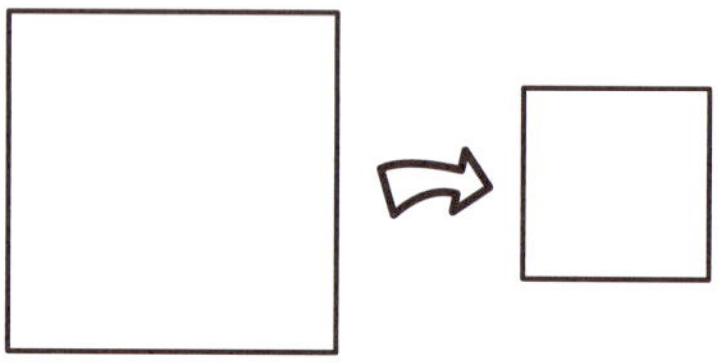

REDUCE

位置《いち》の転換《てんかん》

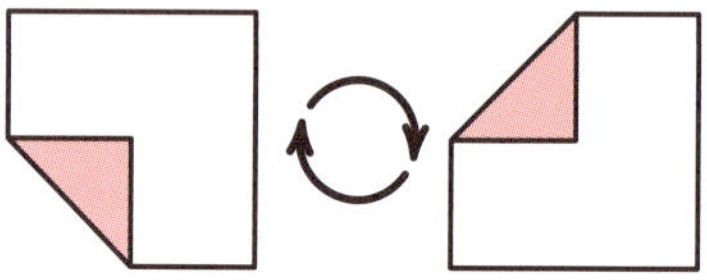

TURN THE MODEL

おもてに折《お》る

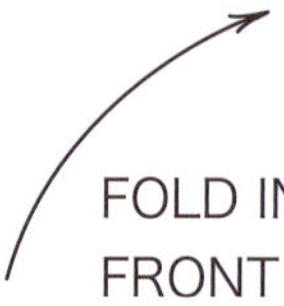

FOLD IN FRONT

うしろに折《お》る

FOLD BEHIND

さしこむ・引《ひ》き出《だ》す

INSERT・PULL OUT

開《ひら》く

OPEN

つぶす
押《お》しこむ

SQUASH
PUSH IN

ふくらます

BLOW UP

基本形《きほんけい》　BASIC FOLD

折り紙の代表的な「基本形《きほんけい》」の一覧です

ざぶとん基本形《きほんけい》　Blintz Base

たこの基本形《きほんけい》　Kite Base

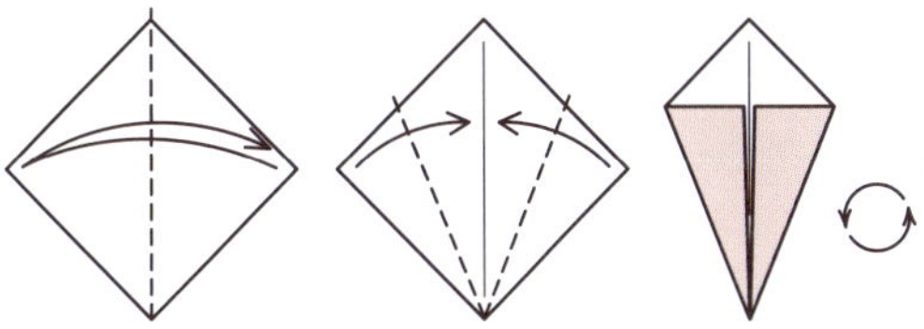

魚《さかな》の基本形《きほんけい》　Fish Base

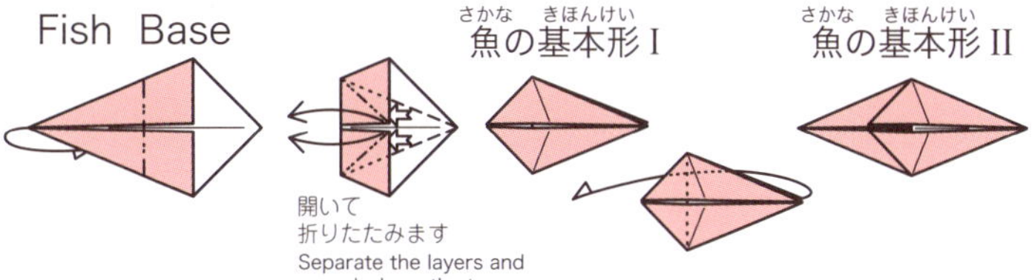

魚《さかな》の基本形《きほんけい》I
魚《さかな》の基本形《きほんけい》II
開いて
折りたたみます
Separate the layers and
squash down the top

正方基本形《せいほうきほんけい》　Square Base（Preliminary Base）

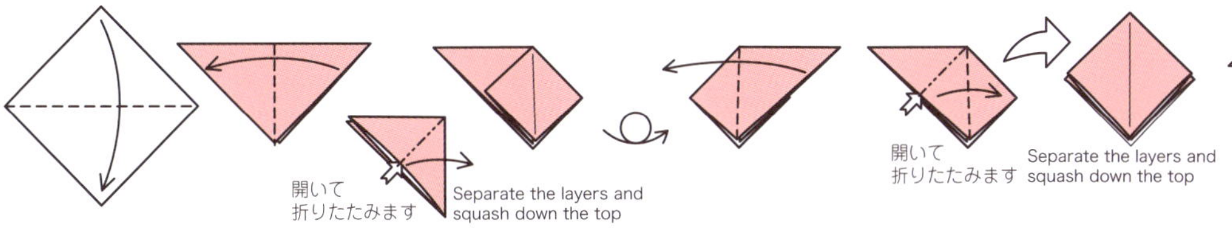

開いて
折りたたみます
Separate the layers and
squash down the top
開いて
折りたたみます
Separate the layers and
squash down the top

鶴《つる》の基本形《きほんけい》　Bird Base

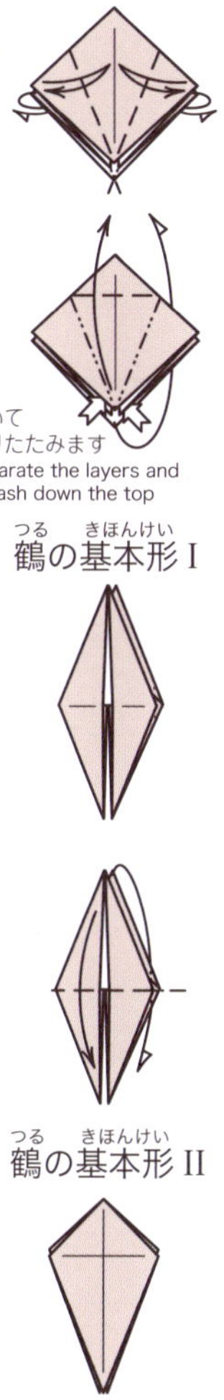

開いて
折りたたみます
Separate the layers and
squash down the top
鶴《つる》の基本形《きほんけい》I
鶴《つる》の基本形《きほんけい》II

風船基本形《ふうせんきほんけい》　Waterbomb Base

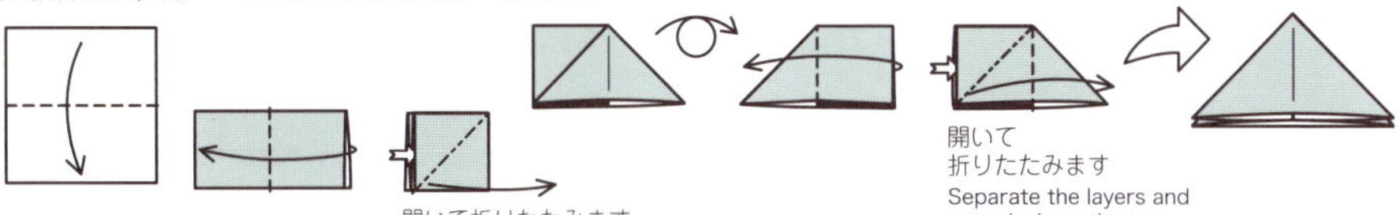

開いて折りたたみます
Separate the layers and squash down the top
開いて
折りたたみます
Separate the layers and
squash down the top

かんのん基本形《きほんけい》　Door Base

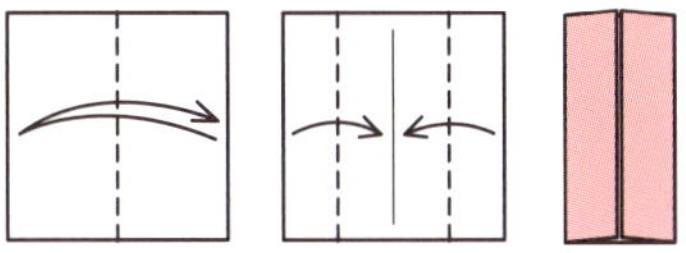

ぶたの基本形《きほんけい》※　Pig Base

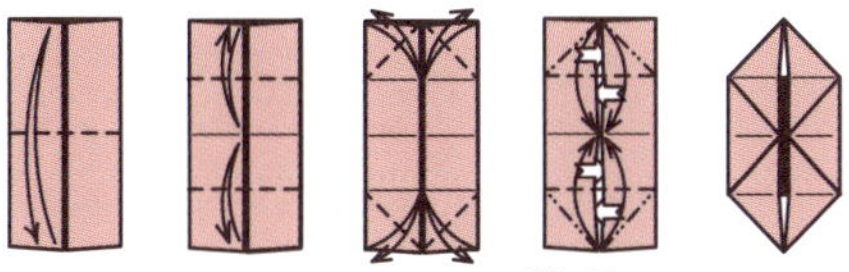

開いて
折りたたみます
Separate the layers and
squash down the top

※この本でよく使われる基本形です

二《に》そう舟《ぶね》基本形《きほんけい》　W-Boat Base

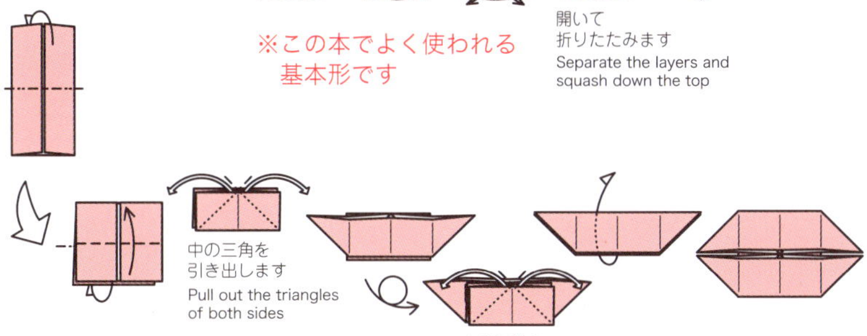

中の三角を
引き出します
Pull out the triangles
of both sides
中の三角を
引き出します
Pull out the triangles
of both sides

かえるの基本形《きほんけい》　Frog Base

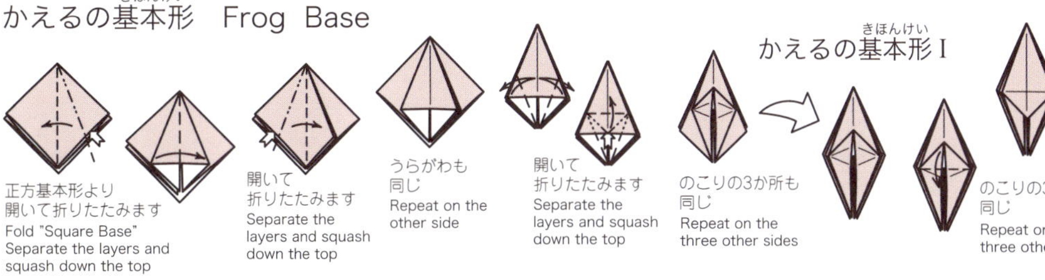

正方基本形より
開いて折りたたみます
Fold "Square Base"
Separate the layers and
squash down the top
開いて
折りたたみます
Separate the
layers and squash
down the top
うらがわも
同じ
Repeat on the
other side
開いて
折りたたみます
Separate the
layers and squash
down the top
のこりの3か所も
同じ
Repeat on the
three other sides
かえるの基本形《きほんけい》I
のこりの3か所も
同じ
Repeat on the
three other sides
かえるの基本形《きほんけい》II

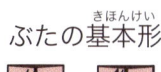

Rat

ねずみ（子）

十二支の最初はねずみ。折り方は比較的やさしいですが、ほとんどの基本的な技法が出てきます。⑮の「（うしろに）引きよせ折り」、かぶせ折りの前に見当をつける⑰や、⑲の「かぶせ段折り」などに慣れておきましょう。

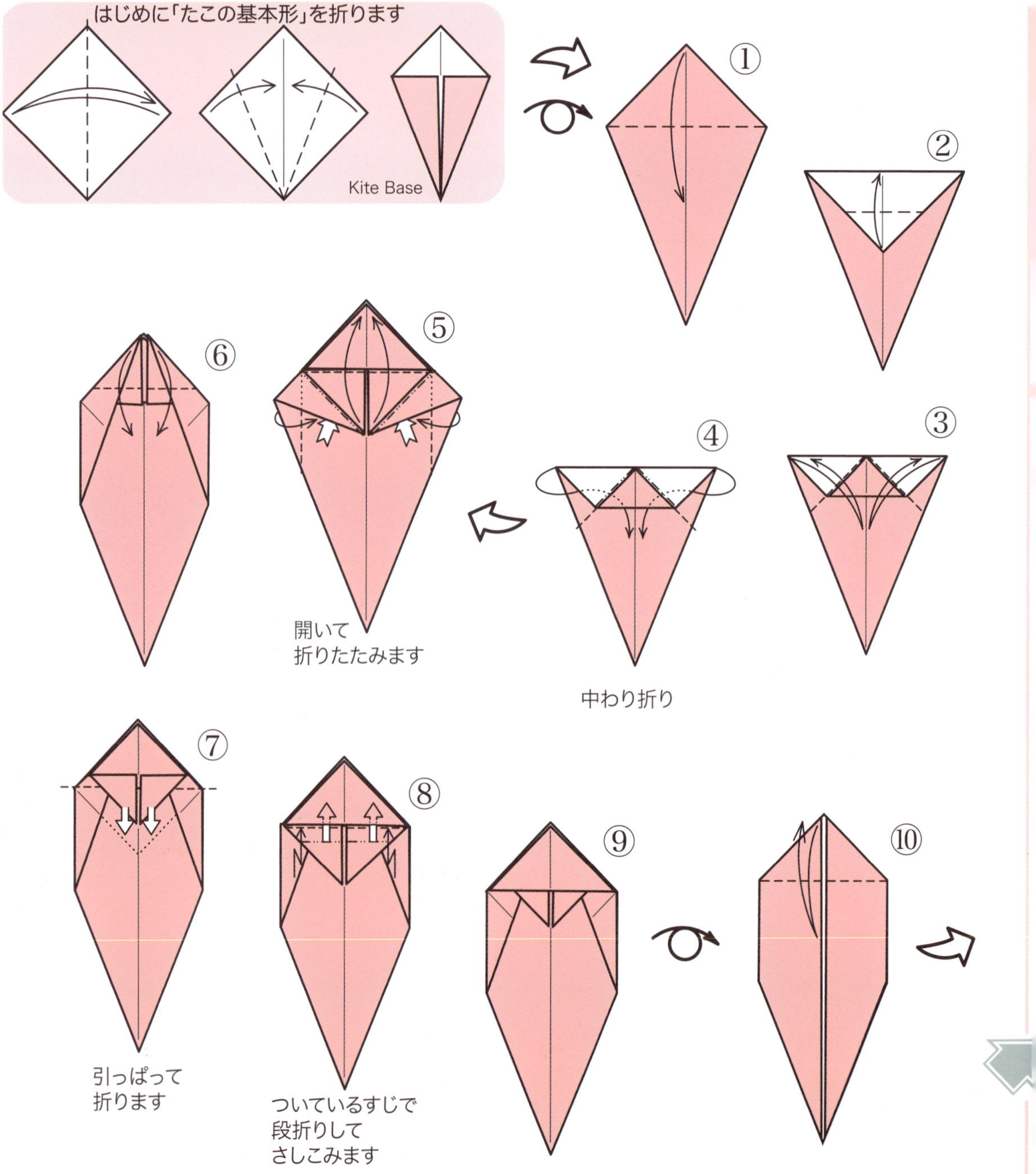
はじめに「たこの基本形」を折ります
Kite Base
①
②
③
④
中わり折り
⑤
開いて
折りたたみます
⑥
⑦
引っぱって
折ります
⑧
ついているすじで
段折りして
さしこみます
⑨
⑩

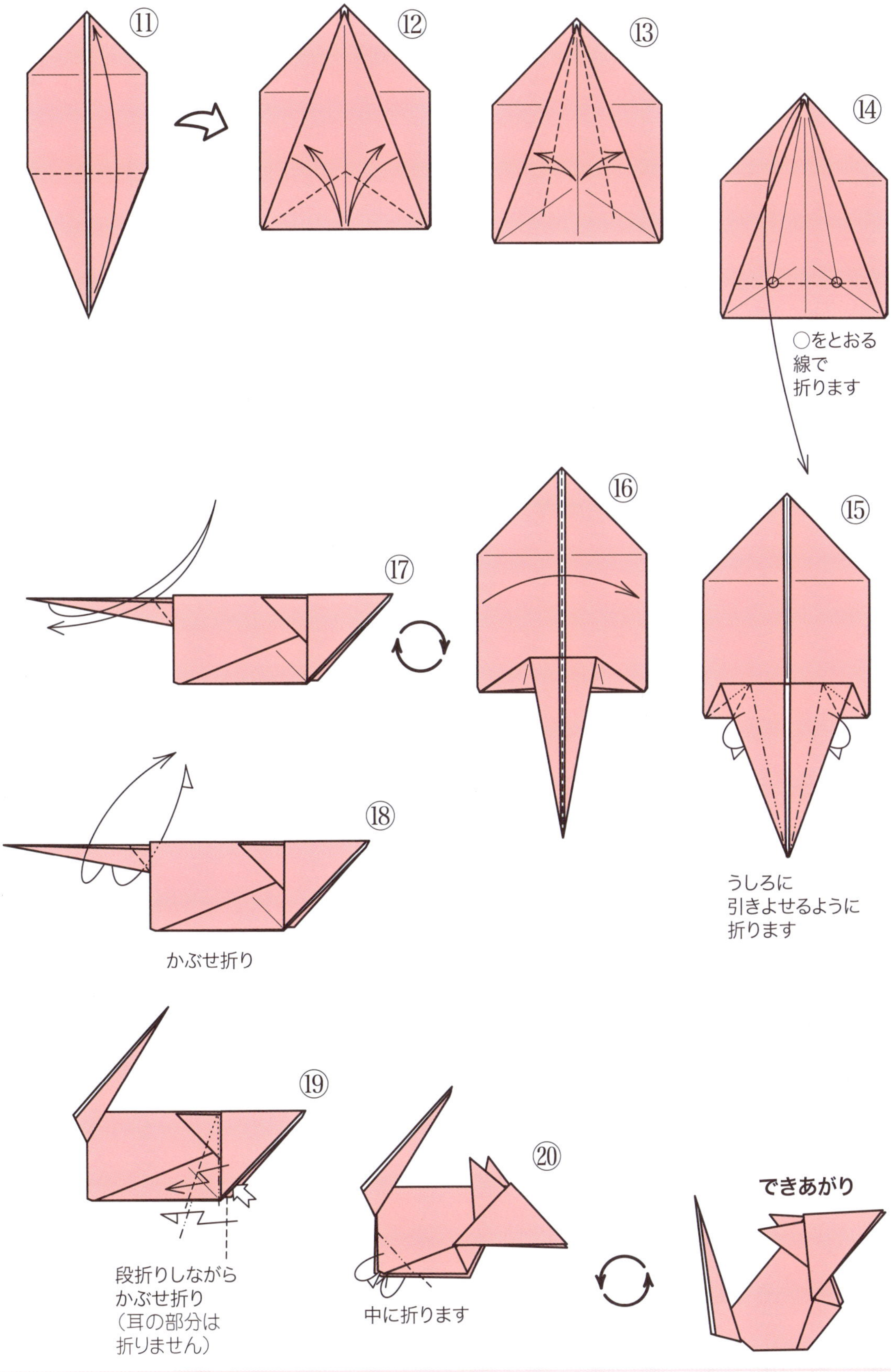
⑪
⑫
⑬
⑭
○をとおる
線で
折ります
⑮
うしろに
引きよせるように
折ります
⑯
⑰
⑱
かぶせ折り
⑲
段折りしながら
かぶせ折り
（耳の部分は
折りません）
⑳
中に折ります
できあがり

Ox

うし（丑）

難度はやや高め。⑰は、ねずみの⑭⑮と同じような技法ですが、ここではいちどに折ってみてください。㉗のように、体を半分に折りながら頭を起こす折り方にも慣れましょう。⑤の形は「ぶたの基本形」で、さまざまな４つ足動物に応用できます。　（月刊おりがみ 371 号掲載）

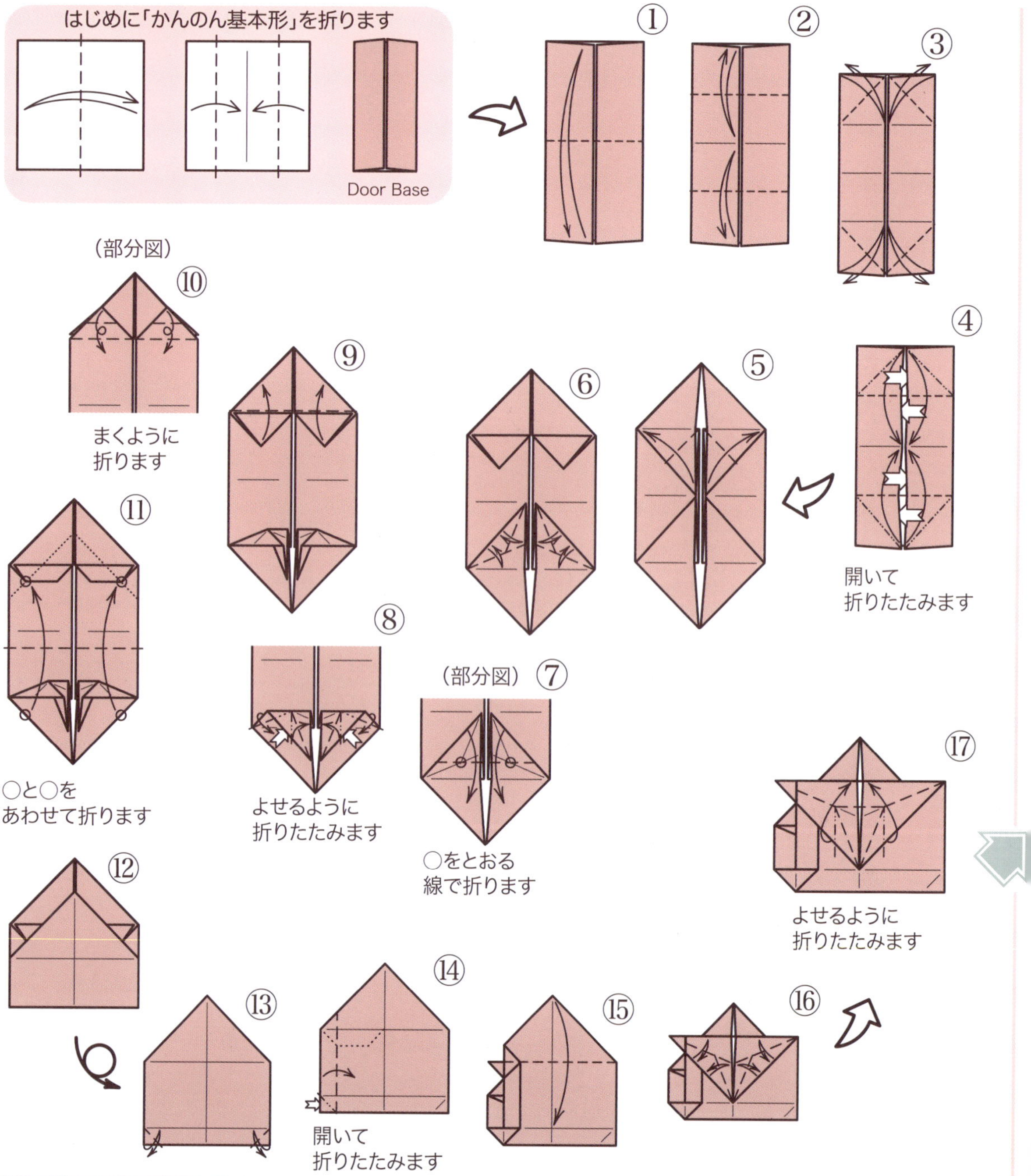
はじめに「かんのん基本形」を折ります
Door Base
①
②
③
④
開いて
折りたたみます
⑤
⑥
（部分図）⑦
○をとおる
線で折ります
⑧
よせるように
折りたたみます
⑨
（部分図）
⑩
まくように
折ります
⑪
○と○を
あわせて折ります
⑫
⑬
⑭
開いて
折りたたみます
⑮
⑯
⑰
よせるように
折りたたみます

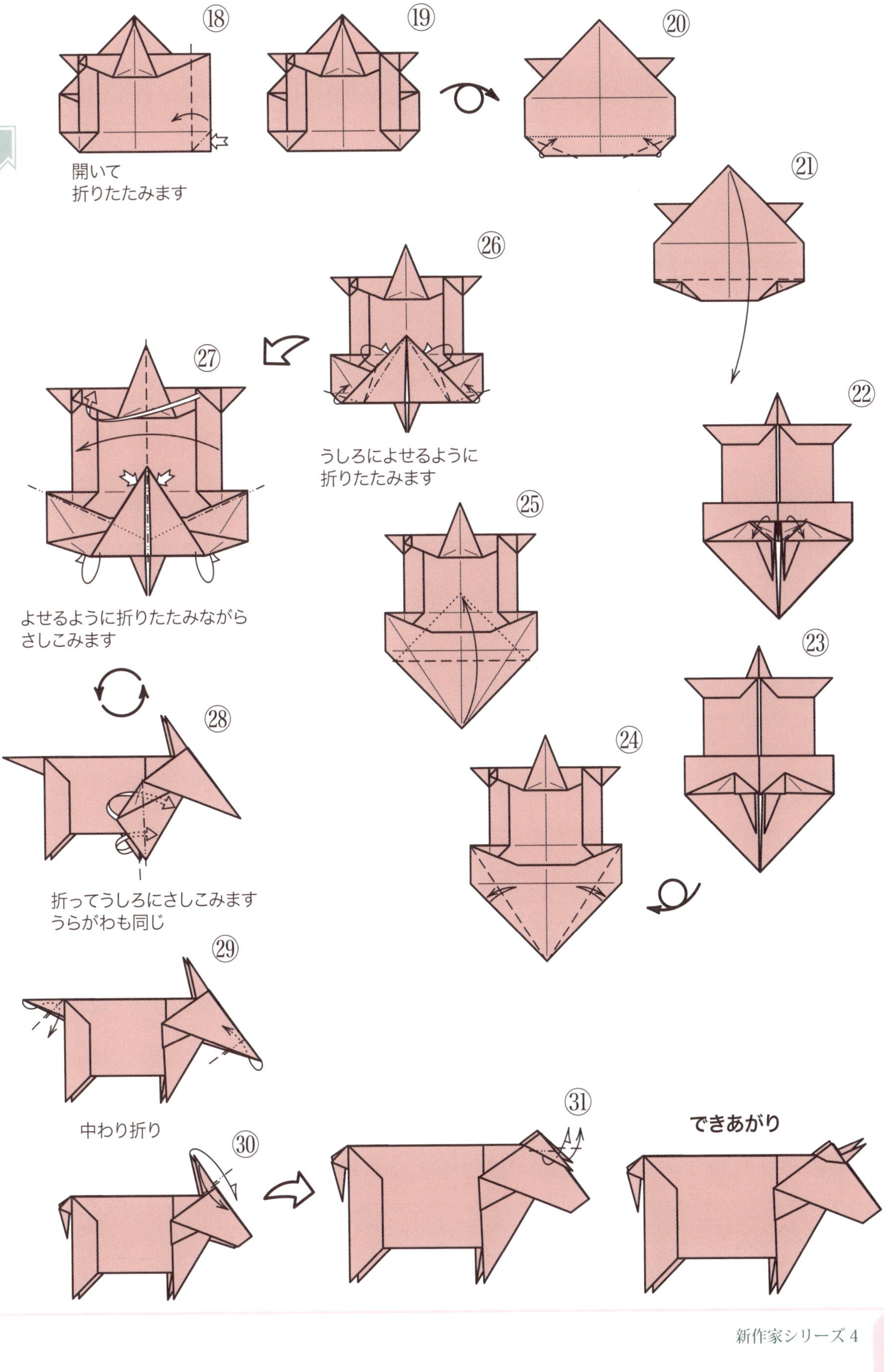
⑱
開いて
折りたたみます
⑲
⑳
㉑
㉒
㉓
㉔
㉕
㉖
うしろによせるように
折りたたみます
㉗
よせるように折りたたみながら
さしこみます
㉘
折ってうしろにさしこみます
うらがわも同じ
㉙
中わり折り
㉚
㉛
できあがり

Tiger

とら（寅）

かぶせ折りの繰り返しで、模様を折り出しました。頭に黒の部分を出すこともできますが、折りの手順が多くなるのでやめました。 両面折り紙がない場合、黒と黄色の２枚重ねで折りましょう。

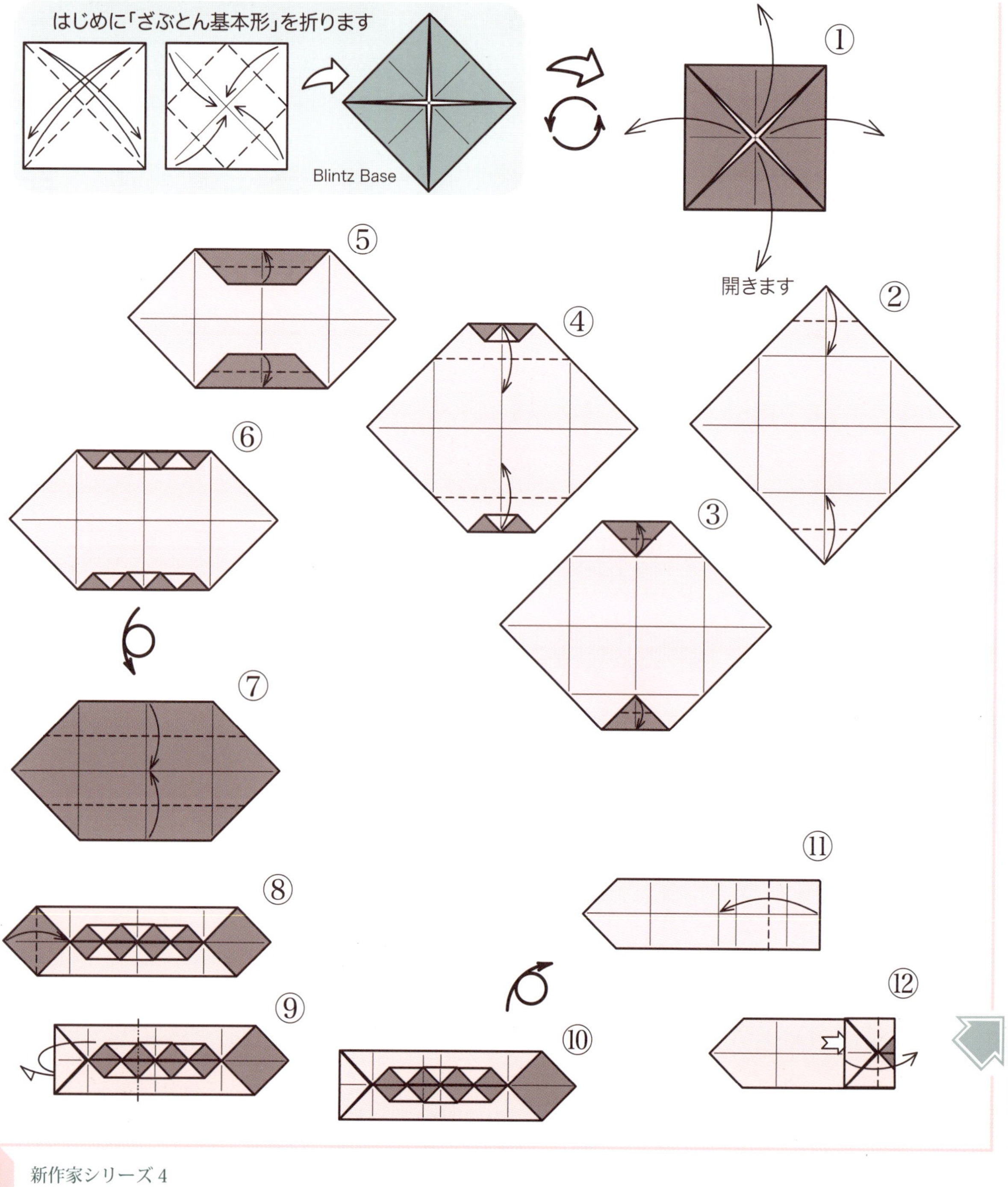

はじめに「ざぶとん基本形」を折ります
Blintz Base
①
開きます
②
③
④
⑤
⑥
⑦
⑧
⑨
⑩
⑪
⑫

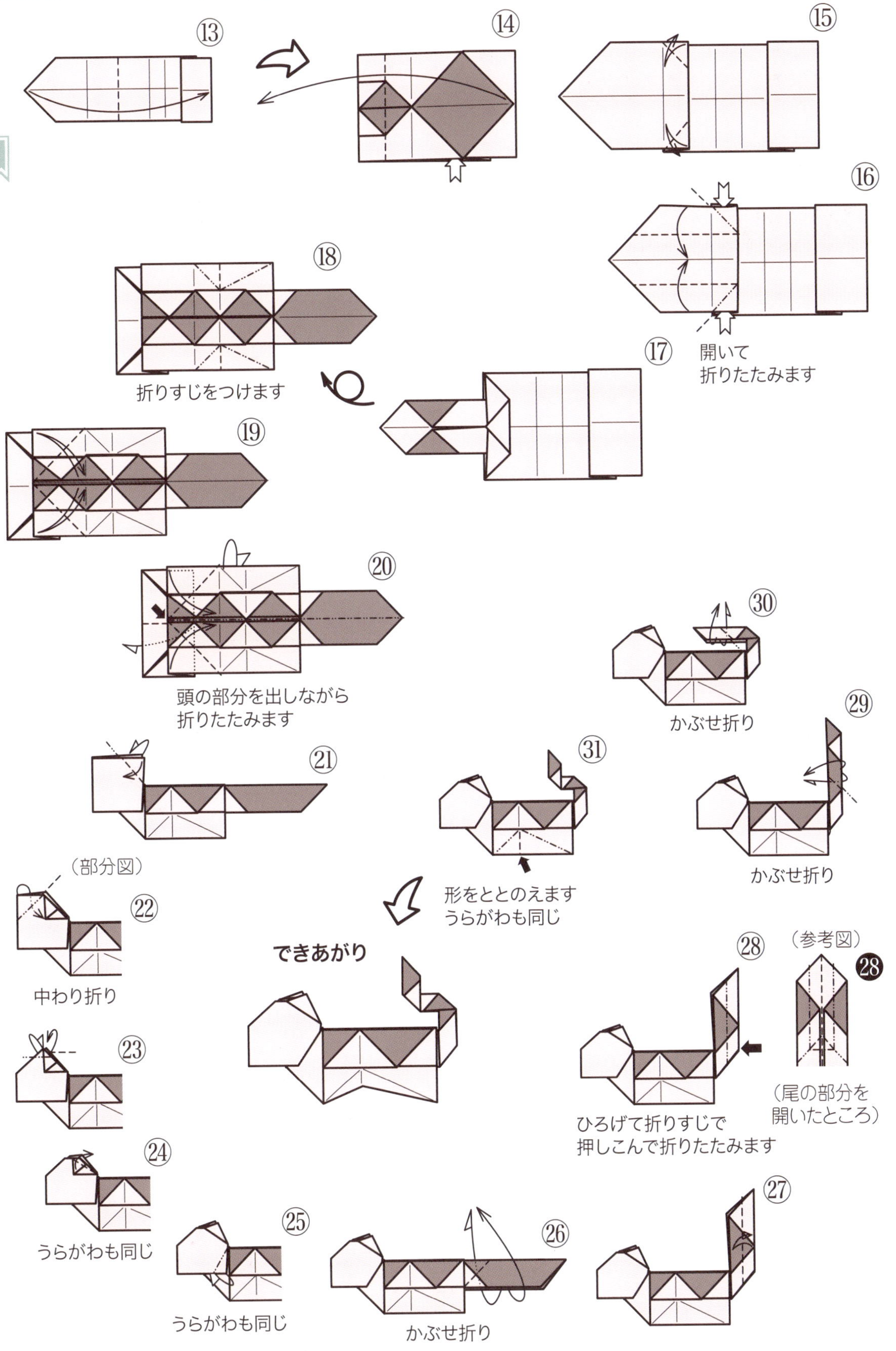
⑬
⑭
⑮
⑯
開いて
折りたたみます
⑰
⑱
折りすじをつけます
⑲
⑳
頭の部分を出しながら
折りたたみます
㉑
（部分図）
㉒
中わり折り
㉓
㉔
うらがわも同じ
㉕
うらがわも同じ
㉖
かぶせ折り
㉗
㉘
ひろげて折りすじで
押しこんで折りたたみます
（参考図）
㉘
（尾の部分を
開いたところ）
㉙
かぶせ折り
㉚
かぶせ折り
㉛
形をととのえます
うらがわも同じ
できあがり

Hare

うさぎ（卯）

「耳に色が出て、ちょこんとすわって、少し上向き」というシルエットは、ノアブックス『おりがみ４か国語テキスト』に収録されている千野利雄さんの名作（右上）と同様です。千野さんの作品は鶴の基本形からできていますが、かわいい印象はそのまま、よりやさしい折り方を考えました。

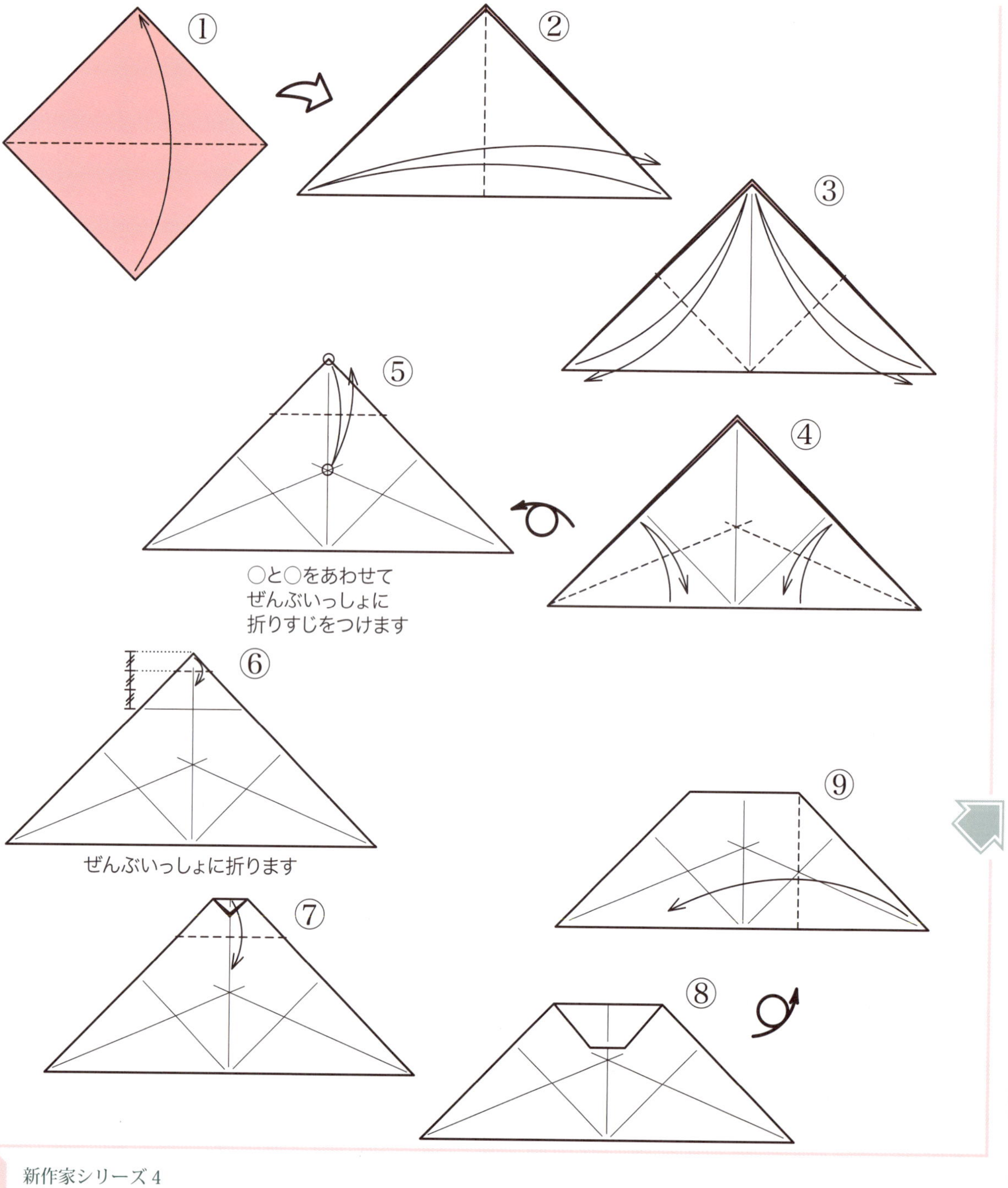

①
②
③
④
⑤
○と○をあわせて
ぜんぶいっしょに
折りすじをつけます
⑥
ぜんぶいっしょに折ります
⑦
⑧
⑨

⑩

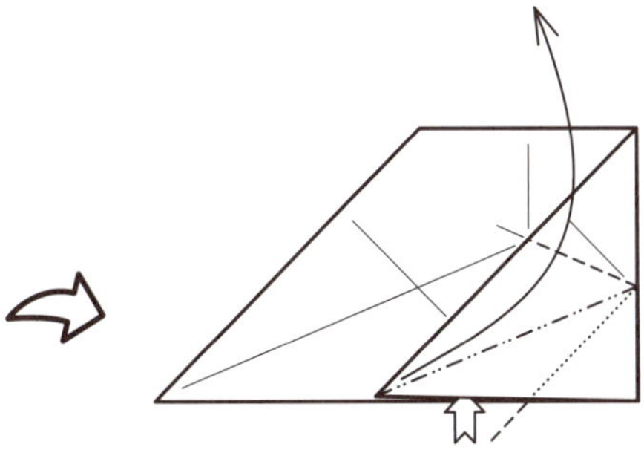

ずらすように
開いて折りたたみます

⑪

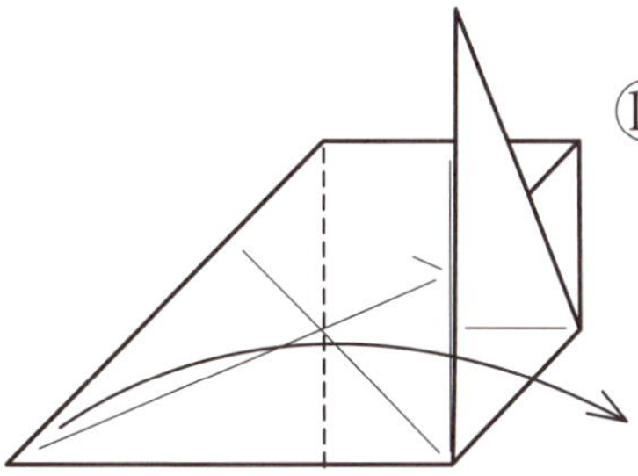

⑨⑩と同じように折ります

⑫

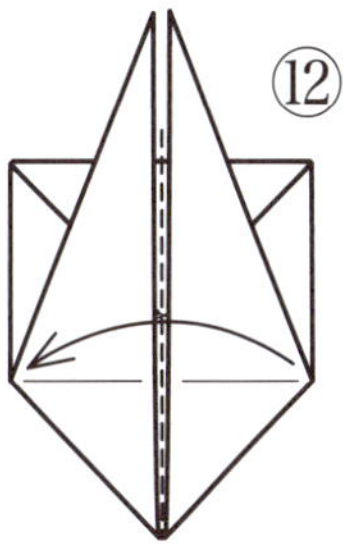

⑬

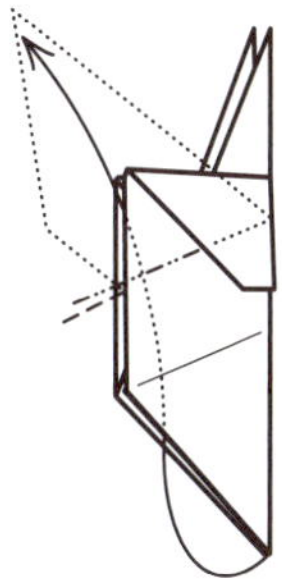

中わり折り
（頭の部分は
折りません）

⑭

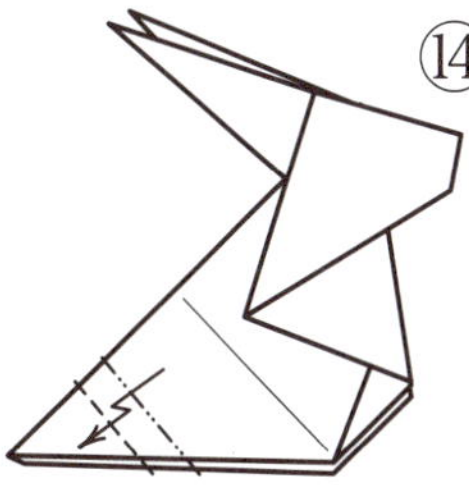

段折り

⑮

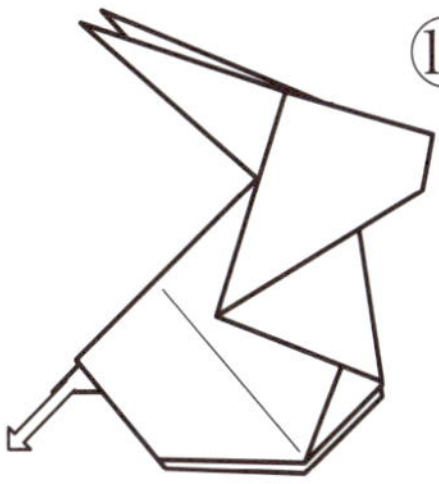

もどします

⑯

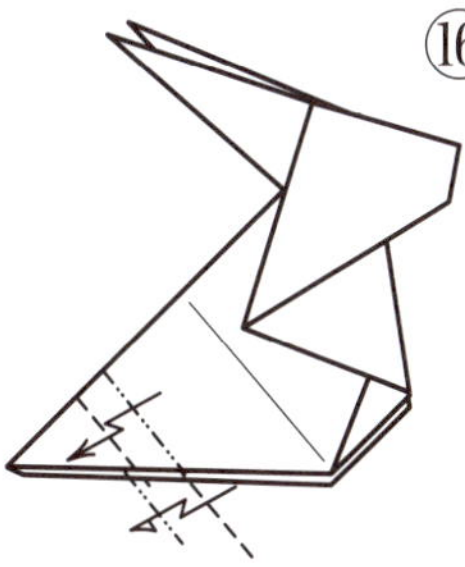

段折りしながら
中わり折り

⑰

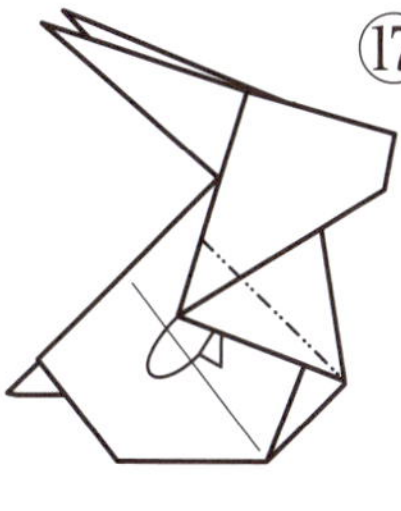

⑱

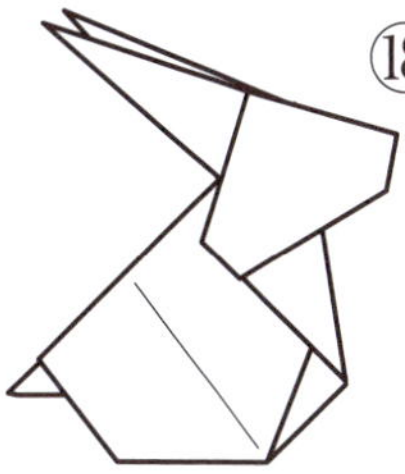

うらがわも
同じ

⑲

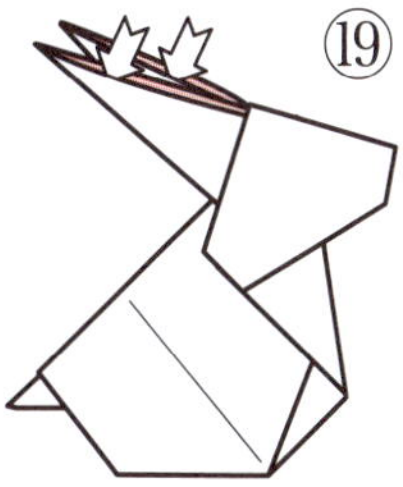

色の面の出るすきまで開いて
立体に形をととのえます

できあがり

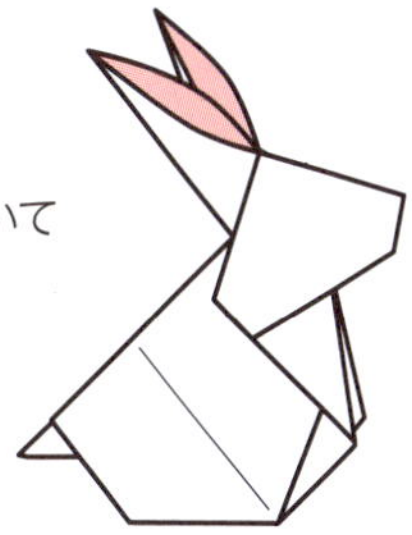

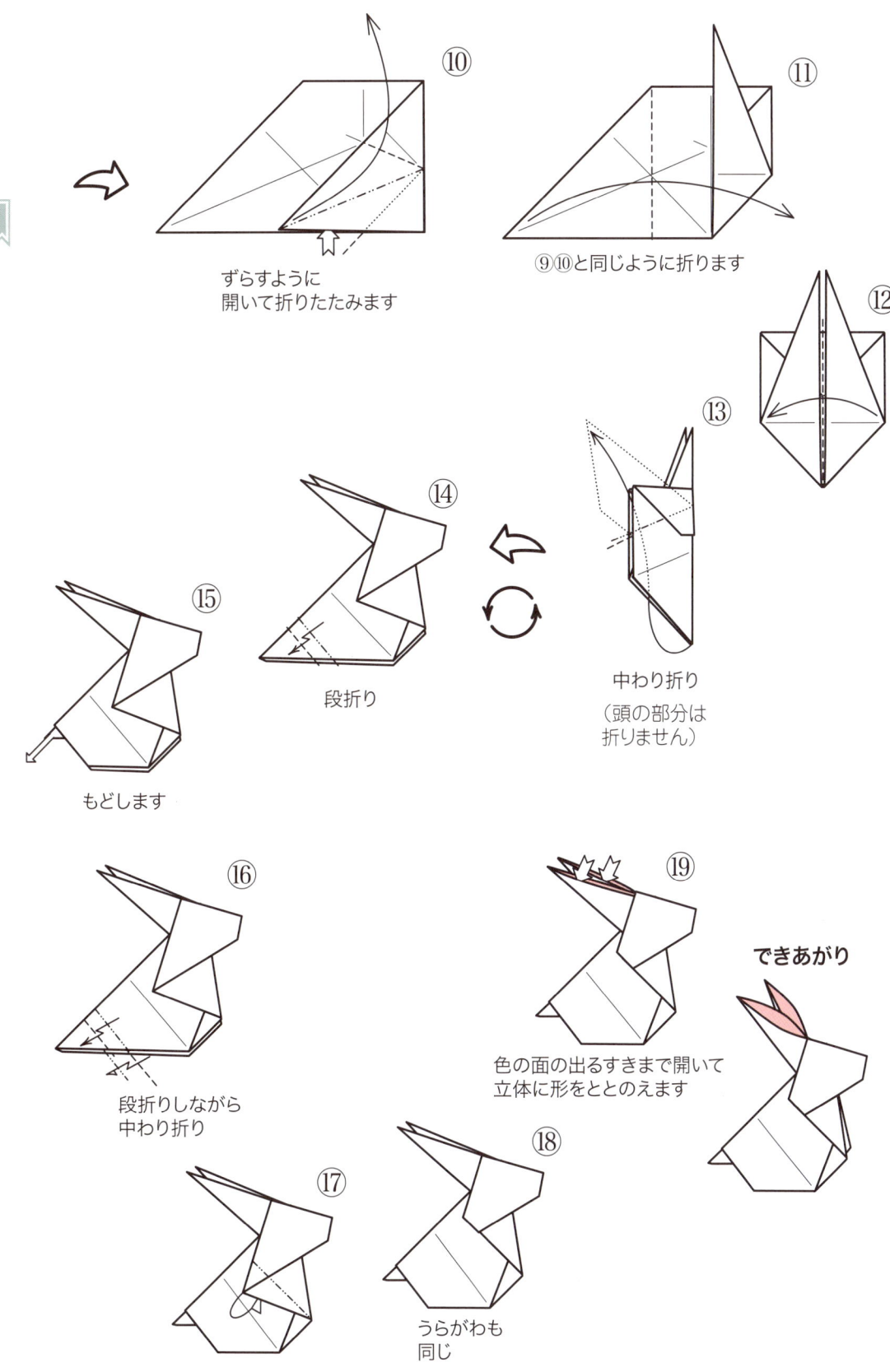

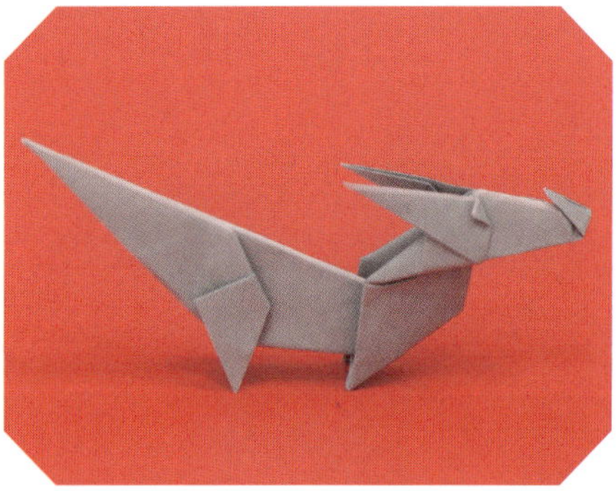

Dragon

たつ（辰）

「うし」と同じ基本構造を、細くしたものです。ツノも同じような位置にありますが、その部分の引きよせ折り（⑩）は、うしと向きが逆になっているので注意してください。

はじめに「かんのん基本形」を折ります

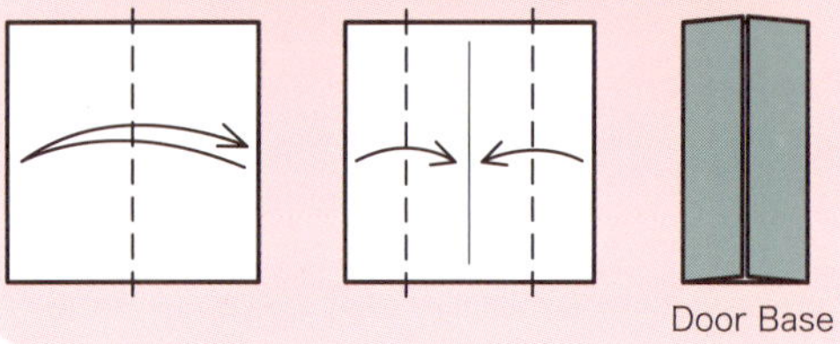

Door Base

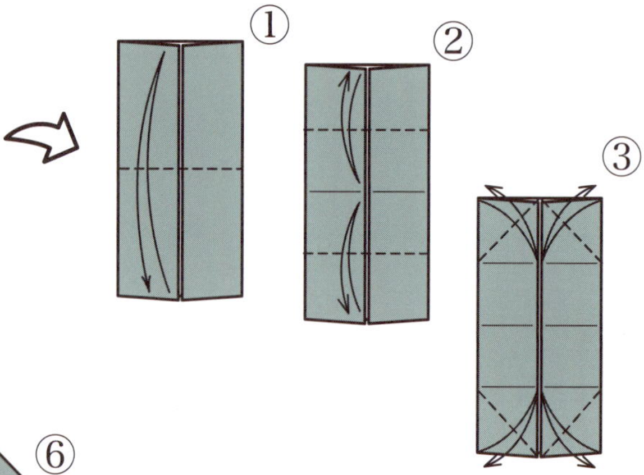

①
②
③

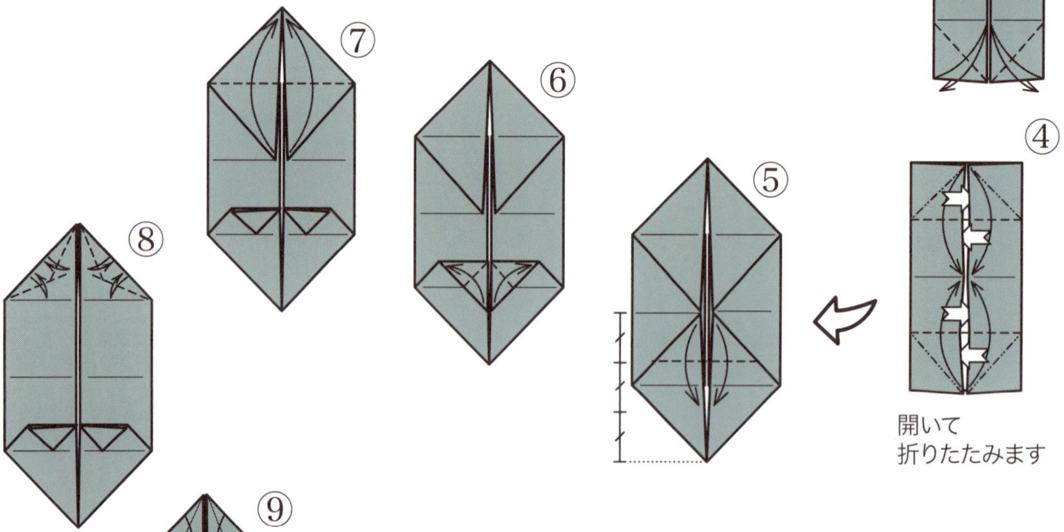

④
開いて
折りたたみます
⑤
⑥
⑦
⑧

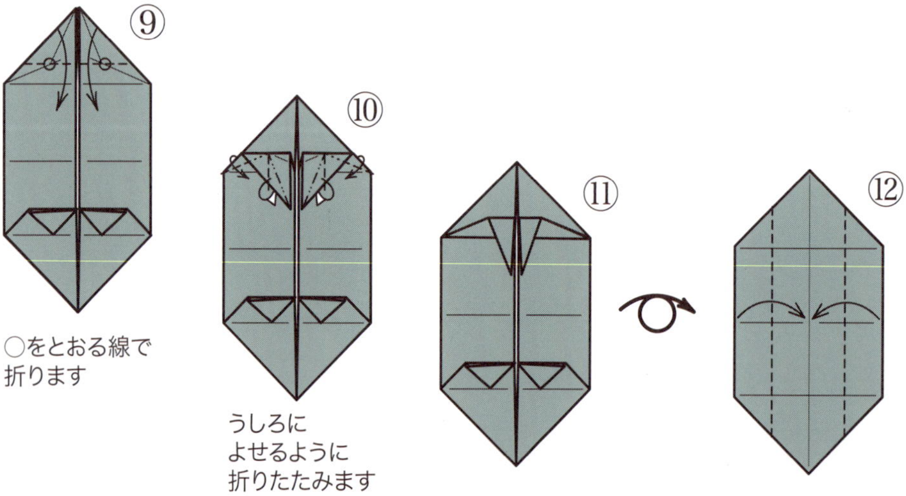

⑨
○をとおる線で
折ります
⑩
うしろに
よせるように
折りたたみます
⑪
⑫

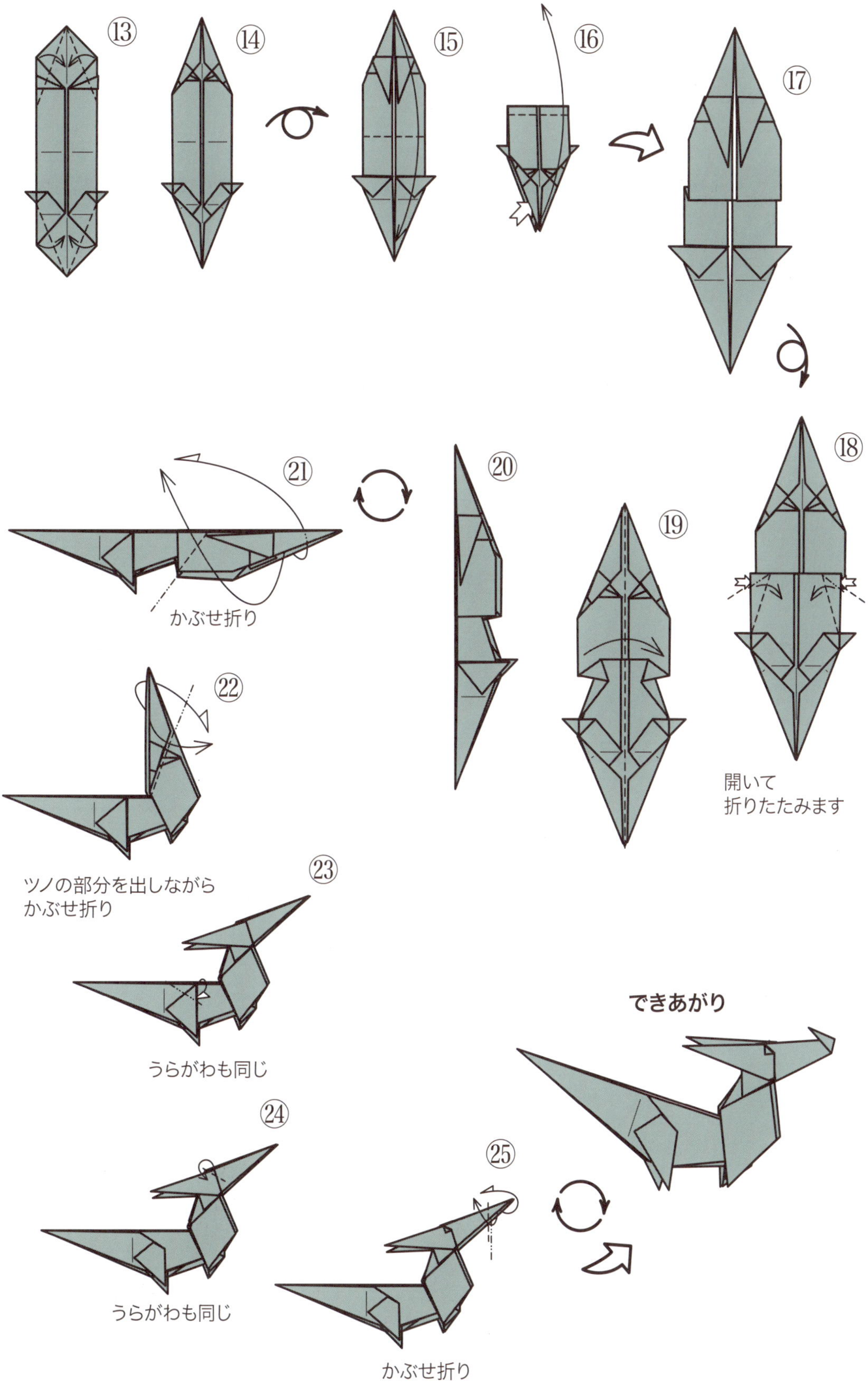
⑬
⑭
⑮
⑯
⑰
⑱
開いて
折りたたみます
⑲
⑳
㉑
かぶせ折り
㉒
ツノの部分を出しながら
かぶせ折り
㉓
うらがわも同じ
㉔
うらがわも同じ
㉕
かぶせ折り
できあがり

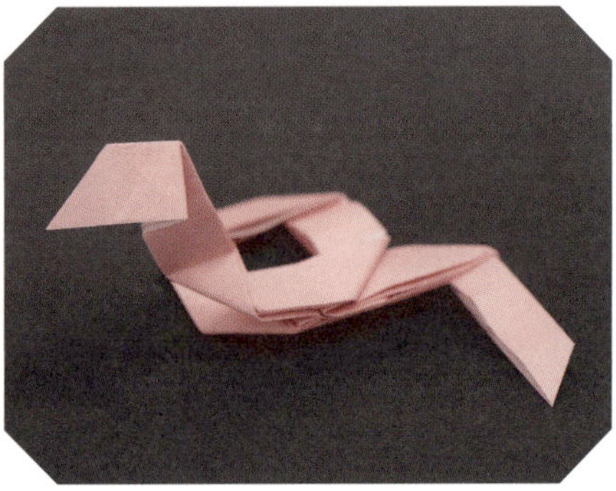

Serpent

へび（巳）

⑩の技法（ボックス・プリーツ）から作る、とぐろを巻いたへびは岡村昌夫さんの作品があり（『161号』）、これはさらに平面的に折りたたんだものです。別に「とら」の尾と同じ考え方で、色分けのあるへびも作ってみました（右上）。

①

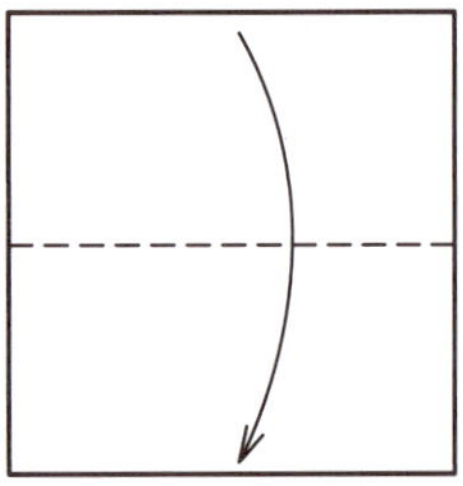

③

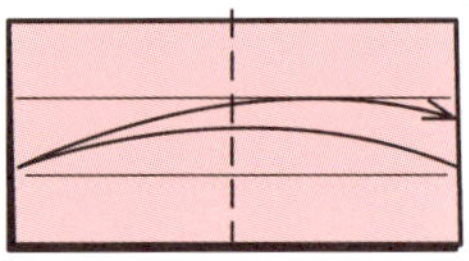

④

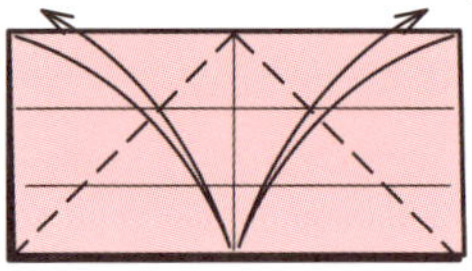

②

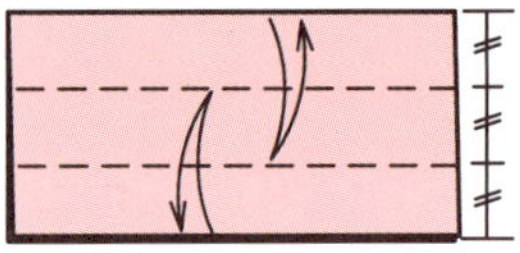

⑤

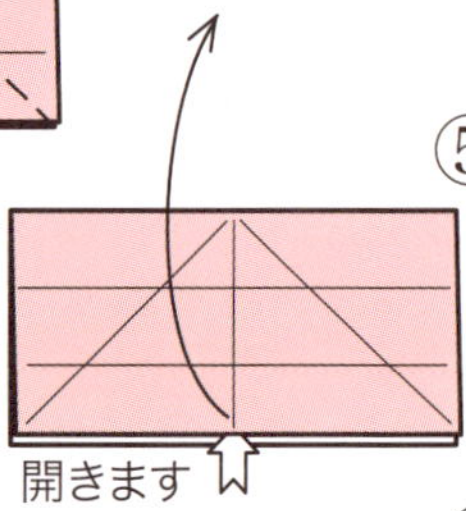

開きます

⑥

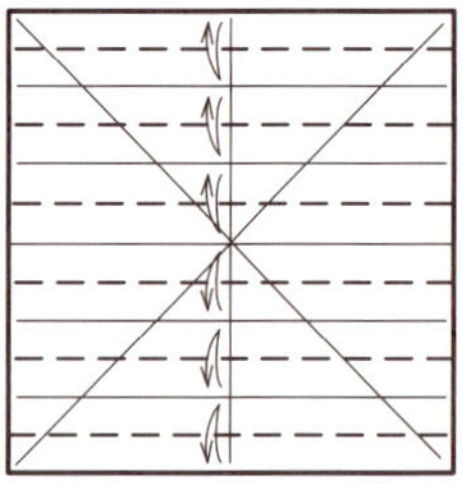

⑦

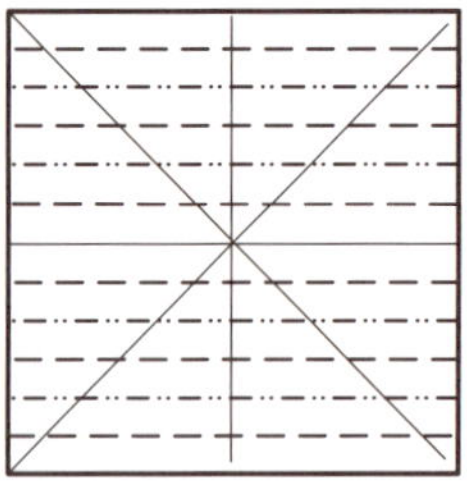

折りすじをつけ直します

⑧

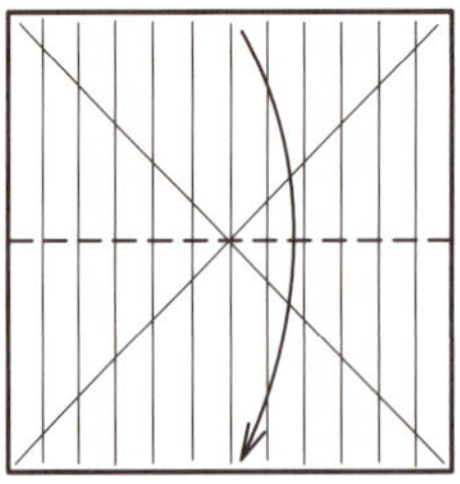

①〜⑦と同じように
折ります

⑨

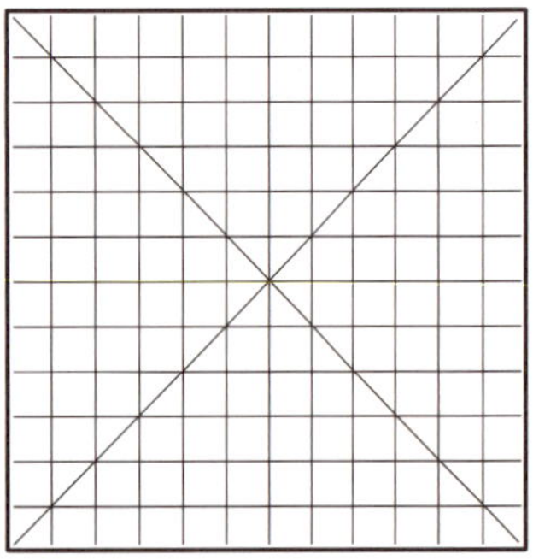

⑩

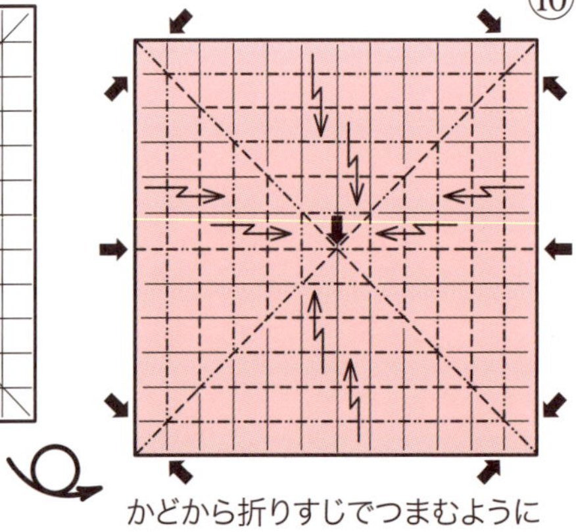

かどから折りすじでつまむように
折りたたみます

⑩-1

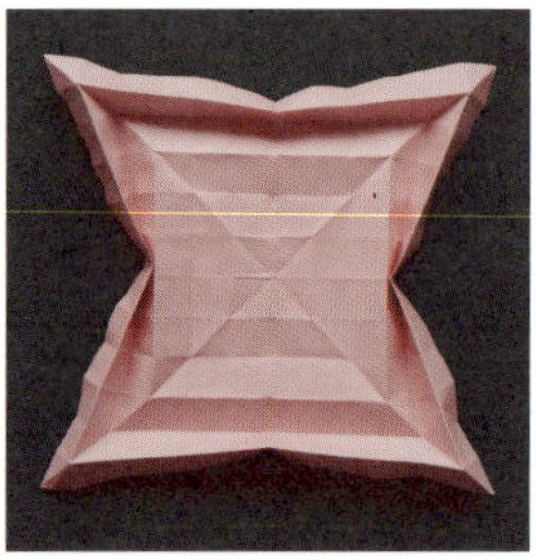

（途中写真）

❿-2

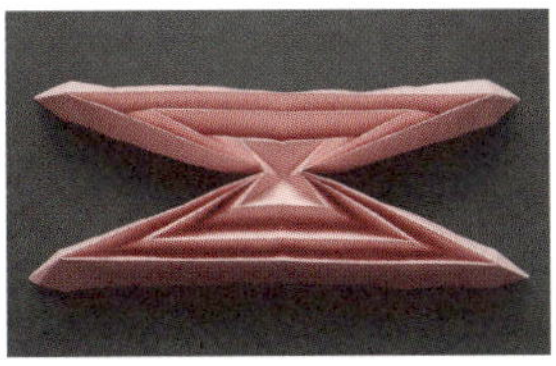

（途中写真）

❿-3

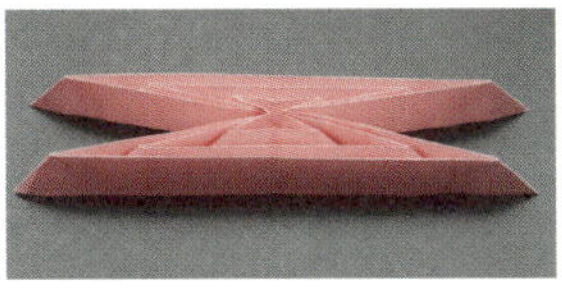

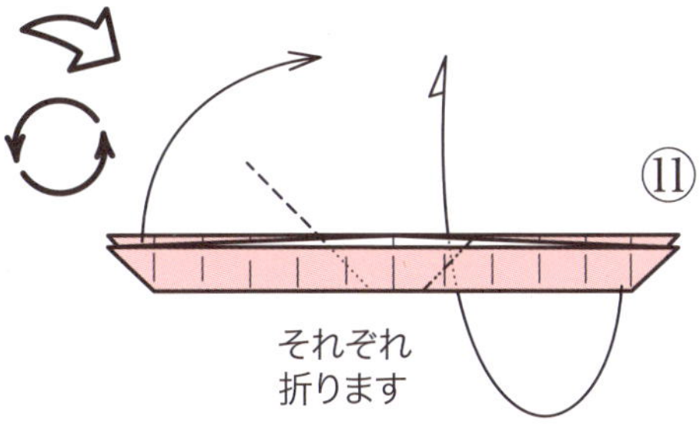

⑪

それぞれ
折ります

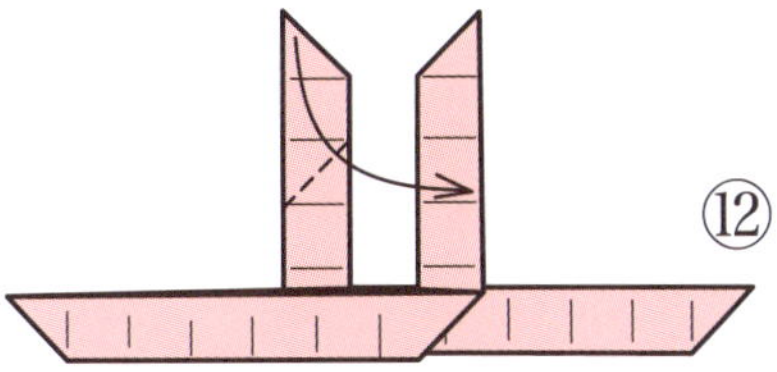

⑫

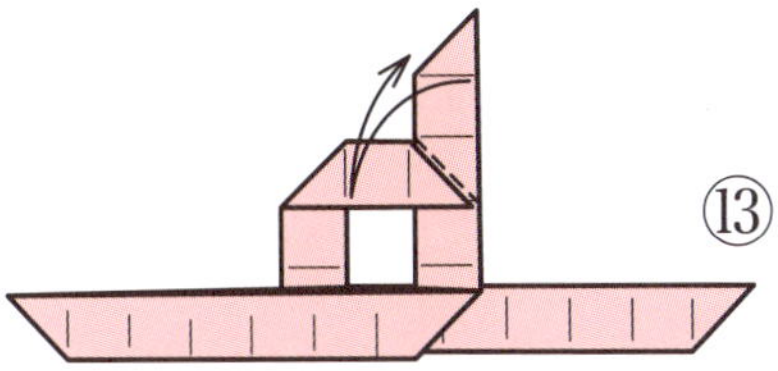

⑬

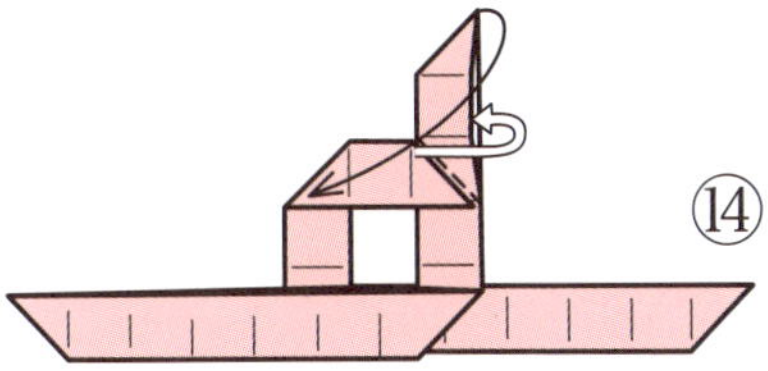

⑭

折って
かぶせるようにさしこみます

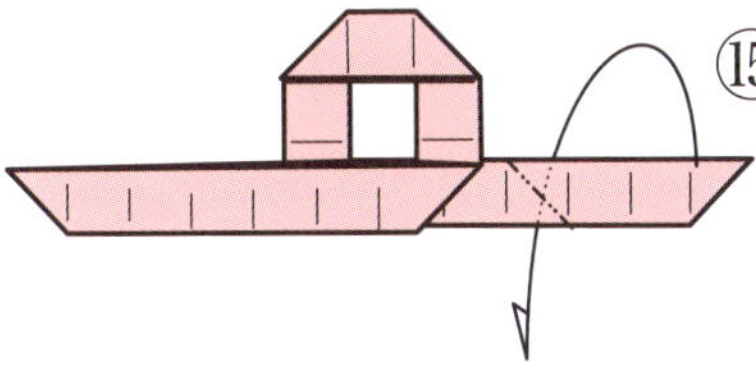

⑮

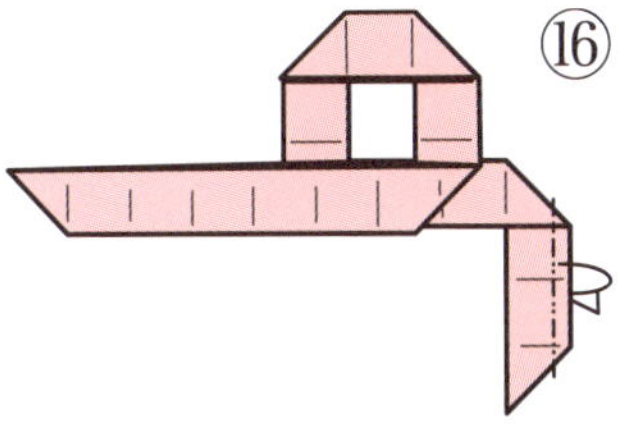

⑯

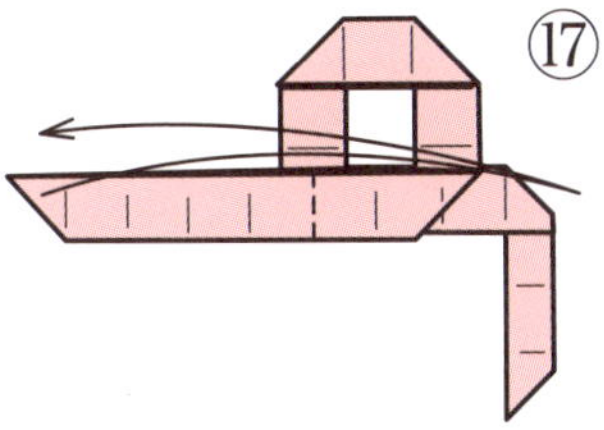

⑰

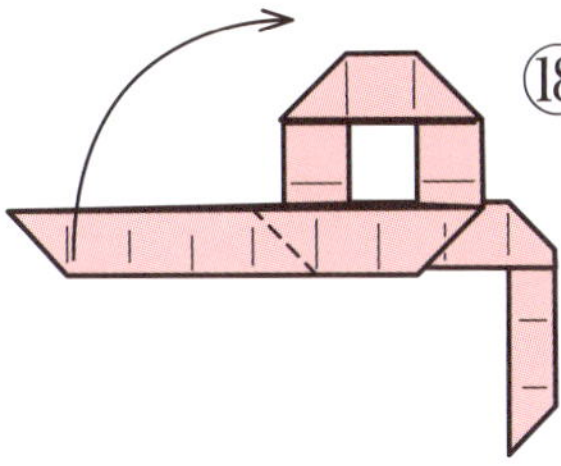

⑱

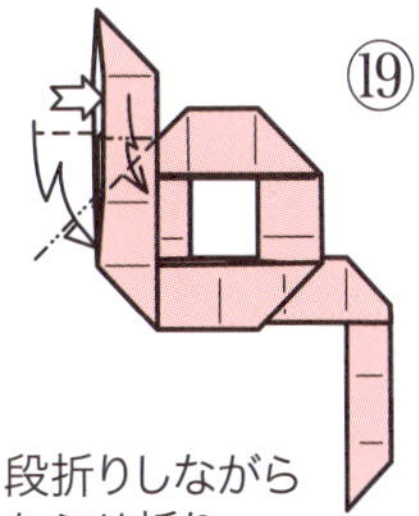

⑲

段折りしながら
かぶせ折り

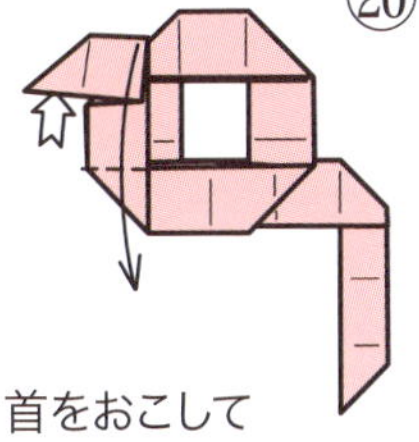

⑳

首をおこして
頭を開いて
形をととのえます

できあがり

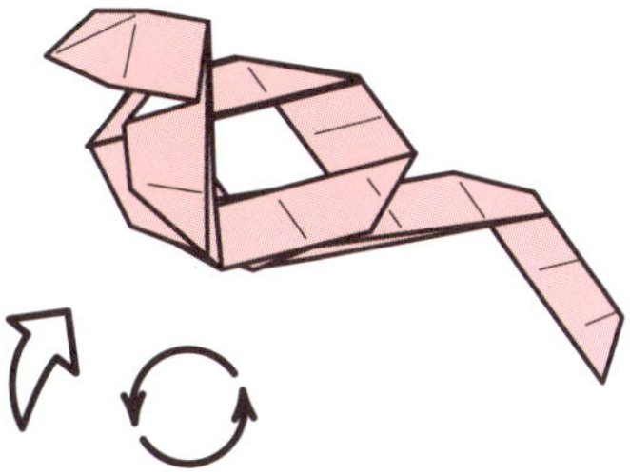

Horse

うま（午）

たくさん創作した馬のうち２作品が、『147号』と『396号』に折り図で紹介され、本作は『147号』に近い形です。P45-47の「ぶた」と途中の形が似ているのに、両者のスタイルが全然違うのが、おもしろいところです。

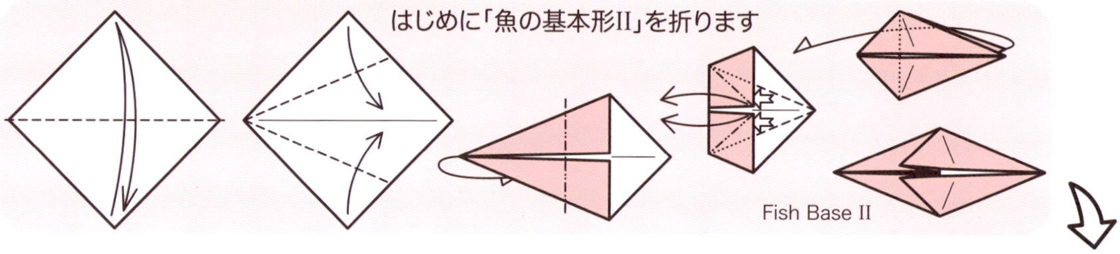

はじめに「魚の基本形II」を折ります
Fish Base II

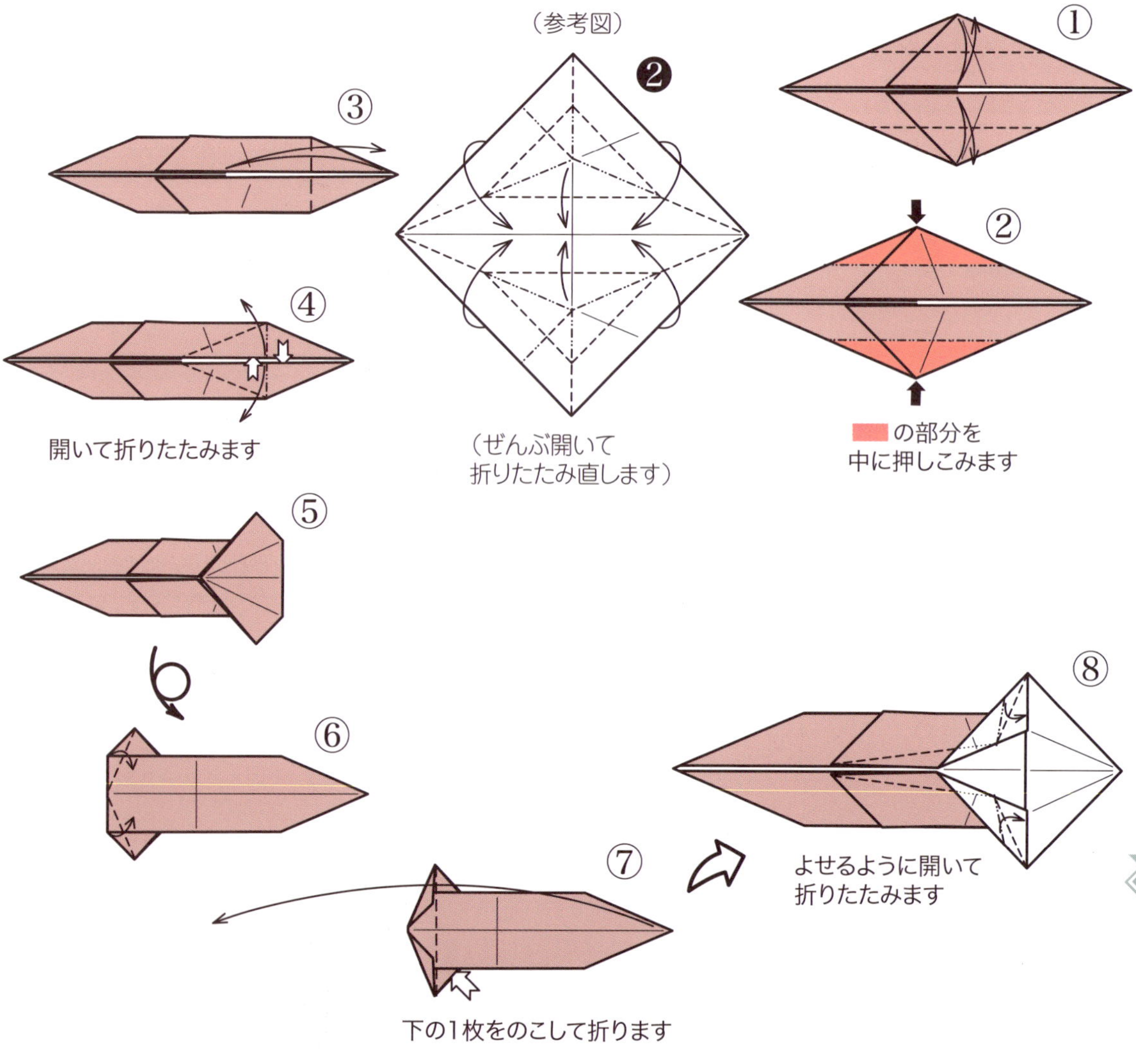

①
②
の部分を
中に押しこみます
（参考図）
❷
（ぜんぶ開いて
折りたたみ直します）
③
④
開いて折りたたみます
⑤
⑥
⑦
下の1枚をのこして折ります
⑧
よせるように開いて
折りたたみます

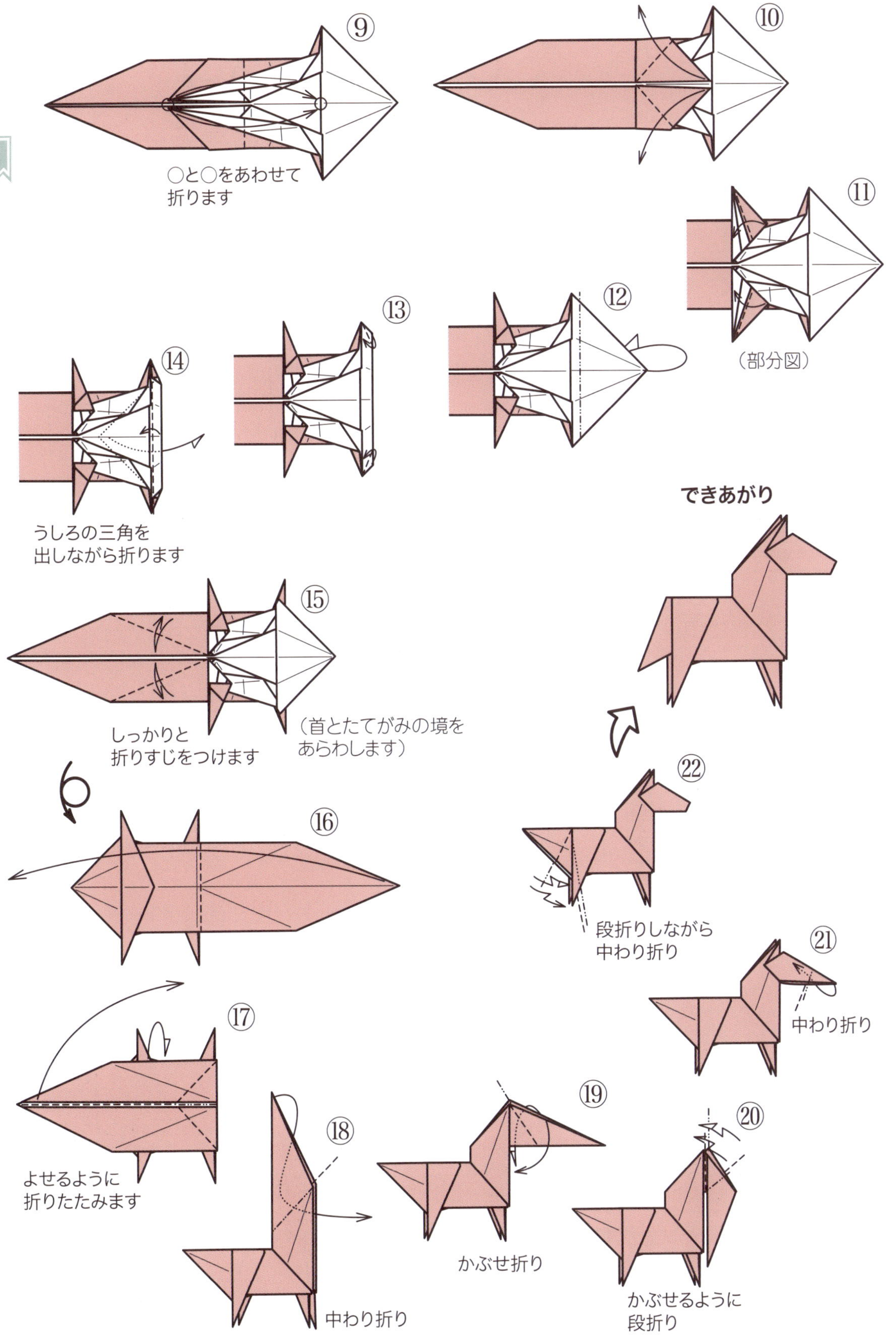
⑨
○と○をあわせて
折ります
⑩
⑪
（部分図）
⑫
⑬
⑭
うしろの三角を
出しながら折ります
⑮
しっかりと
折りすじをつけます
（首とたてがみの境を
あらわします）
⑯
⑰
よせるように
折りたたみます
⑱
中わり折り
⑲
かぶせ折り
⑳
かぶせるように
段折り
㉑
中わり折り
㉒
段折りしながら
中わり折り
できあがり

Sheep

ひつじ（未）

紙の裏表を生かしながら、他の動物とは違う方法で4つ足を出しました。⑦⑧は、ねずみの⑮などと同じ「(うらに)引きよせ折り」の一種ですが、このように「先にかどを折って、残りをひねるように山折り」すると、工程がすっきりしますので、お好みで使い分けてください。

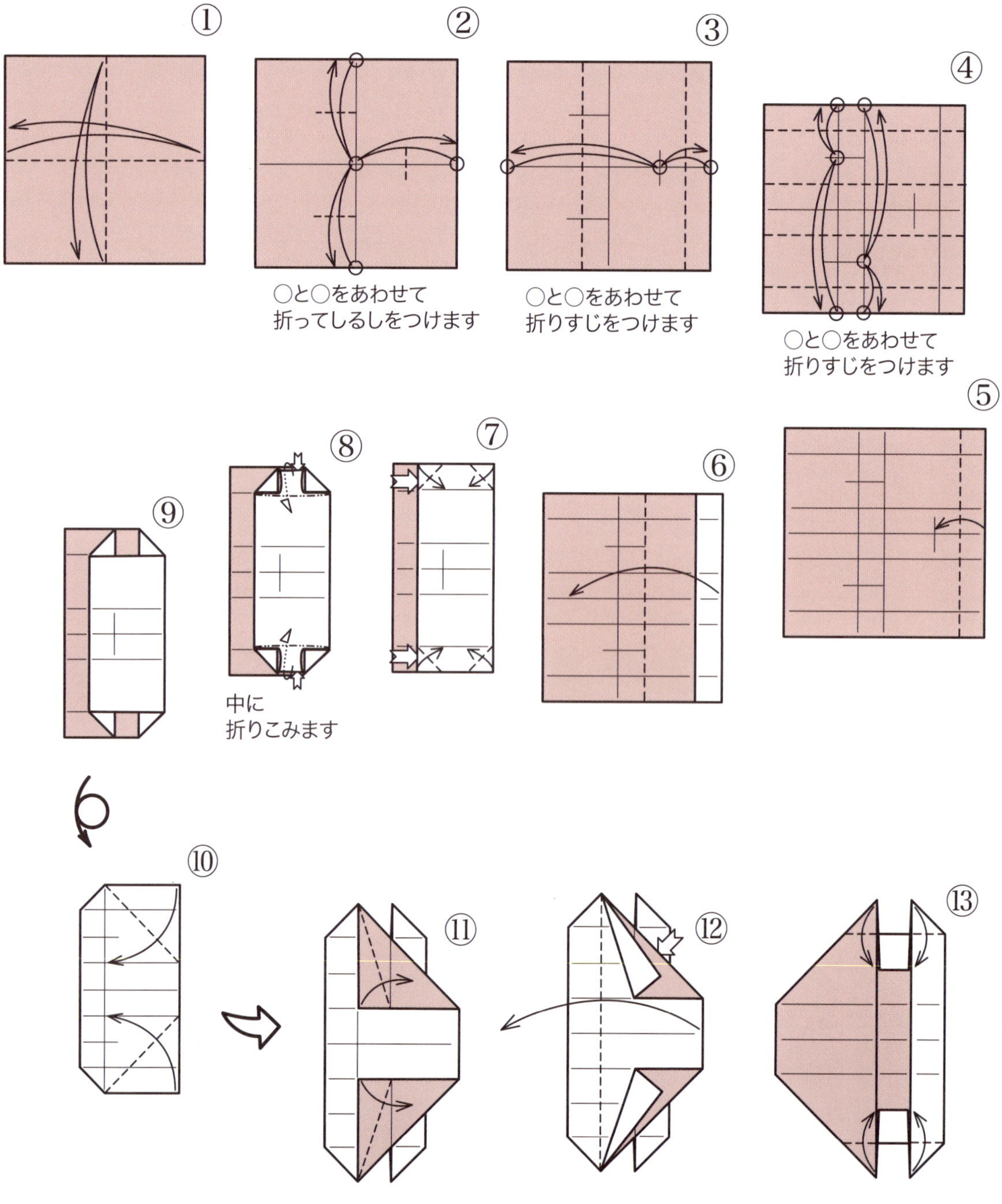

①
②
○と○をあわせて
折ってしるしをつけます
③
○と○をあわせて
折りすじをつけます
④
○と○をあわせて
折りすじをつけます
⑤
⑥
⑦
⑧
中に
折りこみます
⑨
⑩
⑪
⑫
⑬

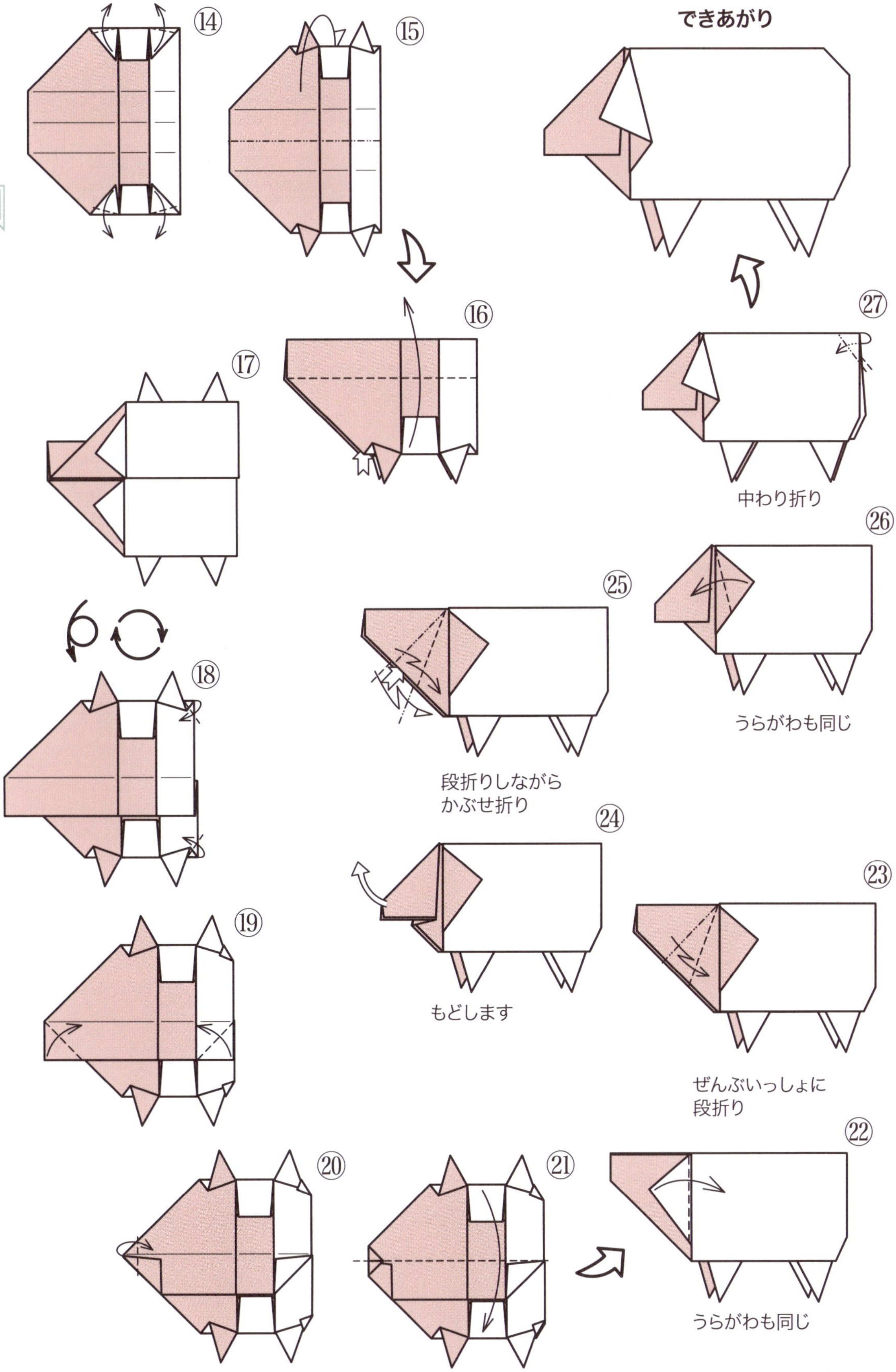
⑭
⑮
⑯
⑰
⑱
⑲
⑳
㉑
㉒
うらがわも同じ
㉓
ぜんぶいっしょに
段折り
㉔
もどします
㉕
段折りしながら
かぶせ折り
㉖
うらがわも同じ
㉗
中わり折り
できあがり

Monkey

さる（申）

ニホンザルの短いしっぽと顔の色分けがポイント。「胴体を半分にしながら頭を起こして折りたたむ」工程は、これまでの動物と要点は同じですが、紙の重なりで少々折りにくくなっています。　　（月刊おりがみ 433 号掲載）

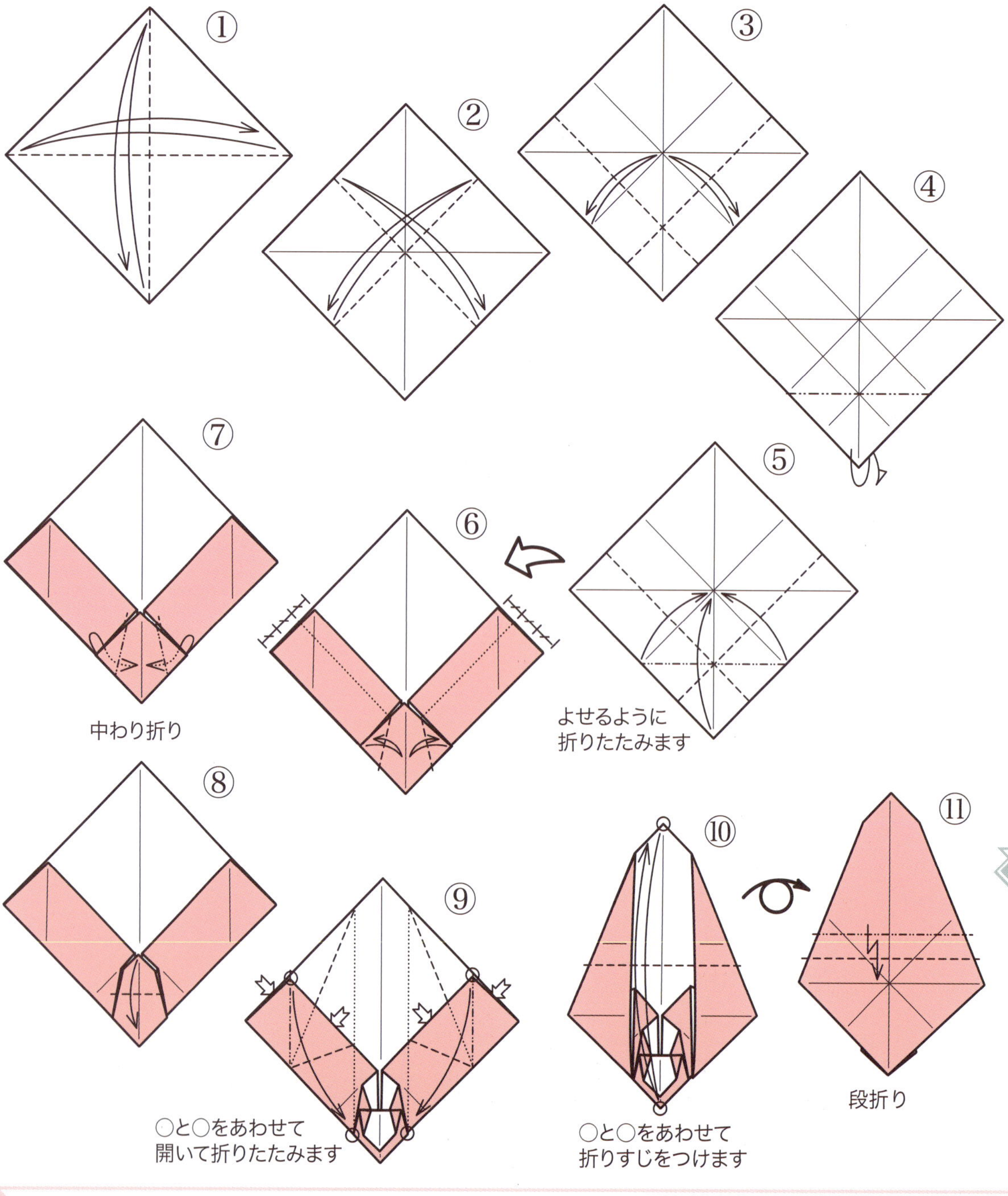
①
②
③
④
⑤
よせるように
折りたたみます
⑥
⑦
中わり折り
⑧
⑨
○と○をあわせて
開いて折りたたみます
⑩
○と○をあわせて
折りすじをつけます
⑪
段折り

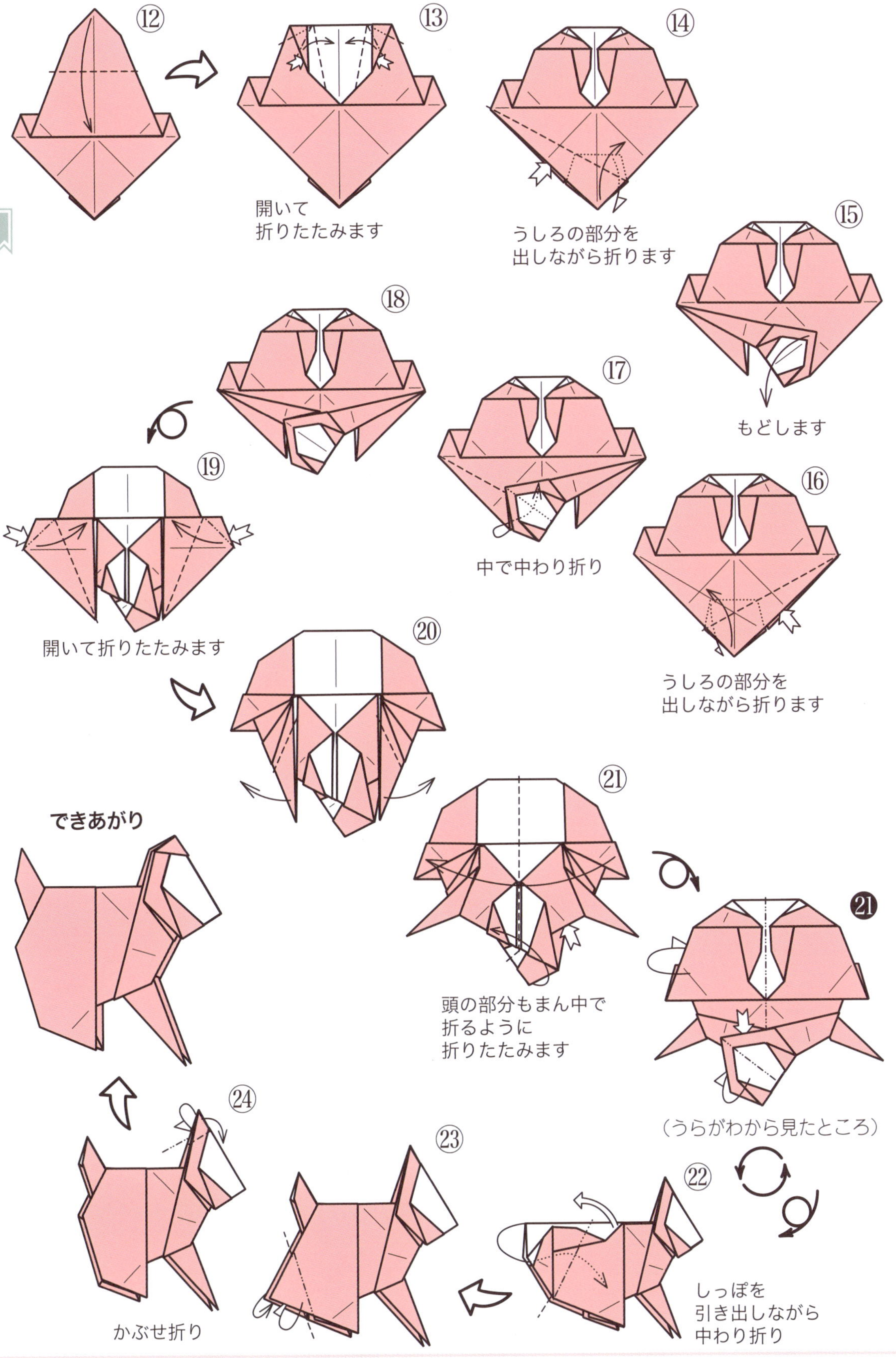
⑫
⑬
開いて
折りたたみます
⑭
うしろの部分を
出しながら折ります
⑮
もどします
⑯
うしろの部分を
出しながら折ります
⑰
中で中わり折り
⑱
⑲
開いて折りたたみます
⑳
㉑
頭の部分もまん中で
折るように
折りたたみます
21
（うらがわから見たところ）
㉒
しっぽを
引き出しながら
中わり折り
㉓
㉔
かぶせ折り
できあがり

Cock, Hen and Chicken

にわとりとひよこ(酉)

おんどりだけでもいいのですが、途中まで同じなので、家族そろって折ってあげましょう。おんどりの⑩とめんどりの❷は、ひよこの❽のように「全体を半分にしてから中わり折り」でもかまいません。

（「めんどり」と「ひよこ」は月刊おりがみ321号掲載）

おんどり Cock

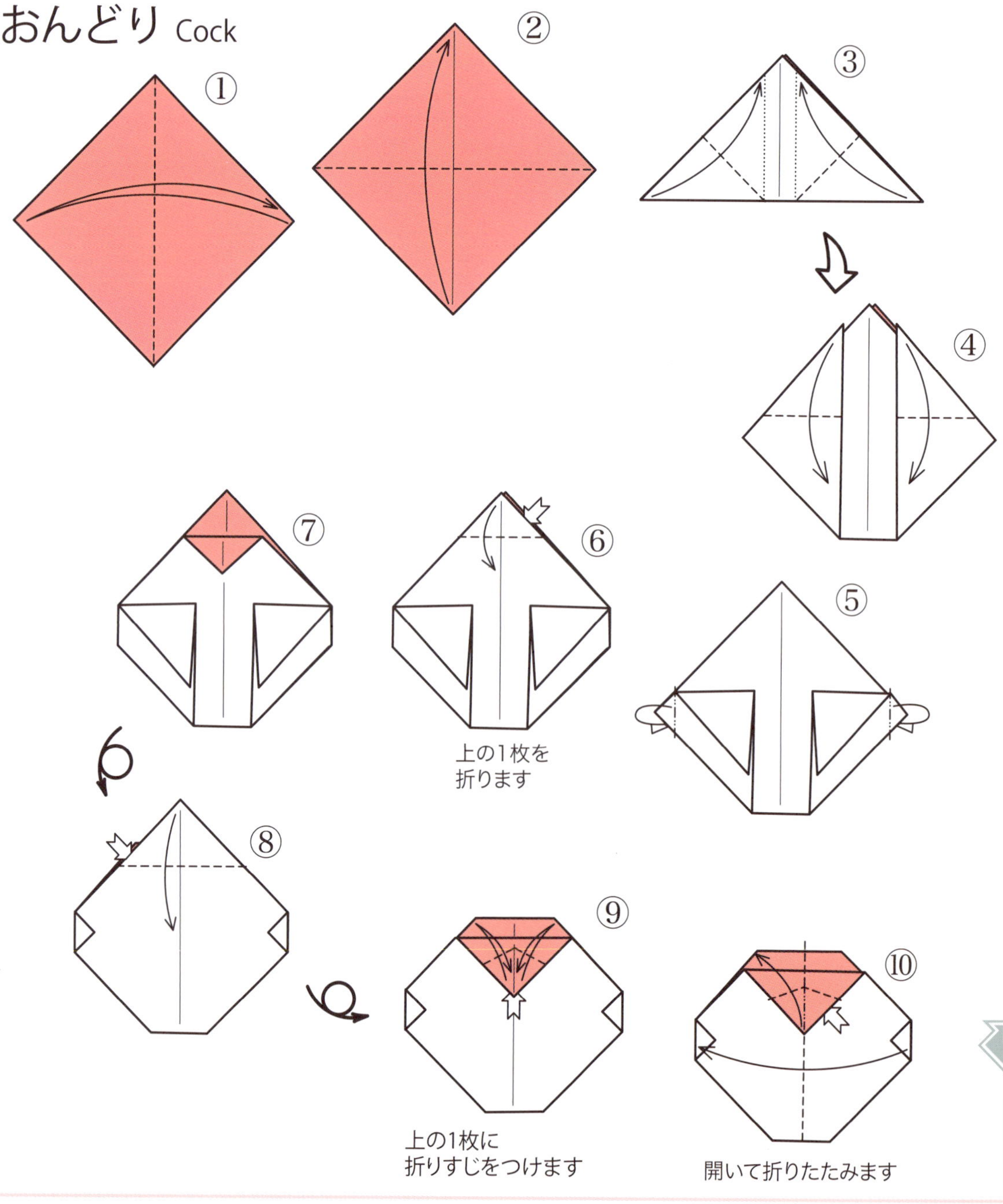

①
②
③
④
⑤
⑥
上の1枚を
折ります
⑦
⑧
⑨
上の1枚に
折りすじをつけます
⑩
開いて折りたたみます

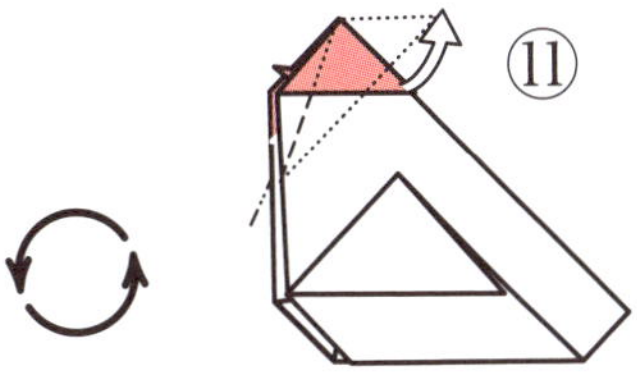

かどをつまんで
引き上げて折ります

できあがり

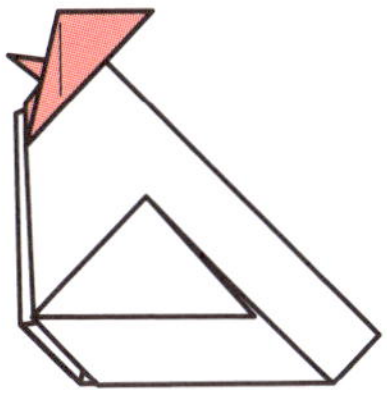

めんどり Hen

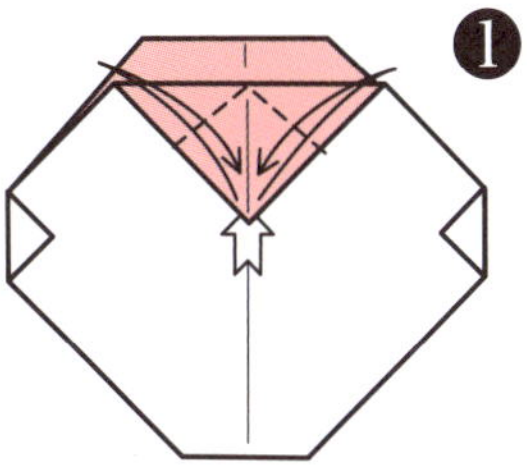

おんどりの⑧まで
折ってから始めます
上の1枚に
折りすじをつけます

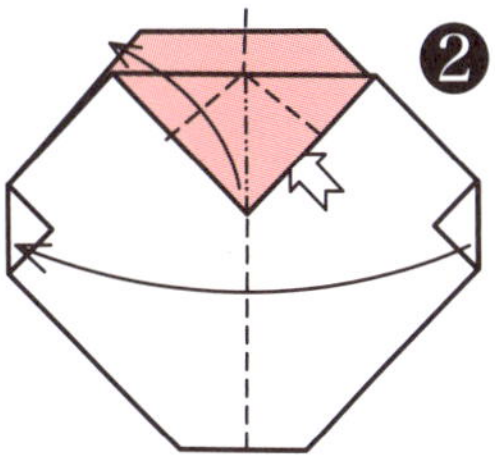

開いて折りたたみます

できあがり

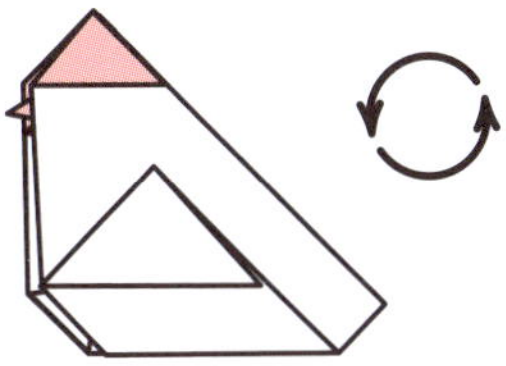

●紙の大きさのわりあい●

ひよこ Chicken

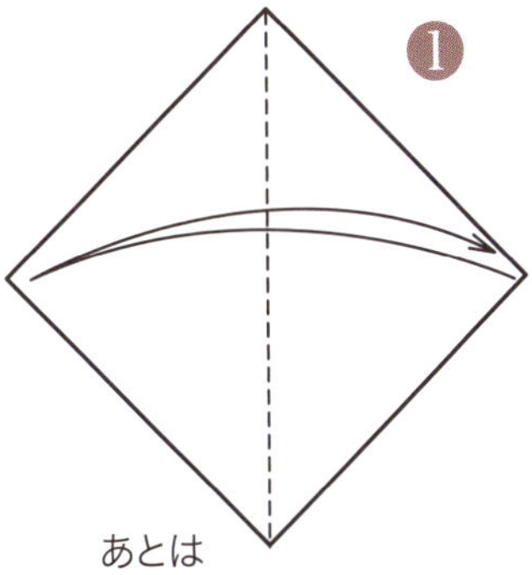

あとは
おんどりの⑤までと
同じように折ります

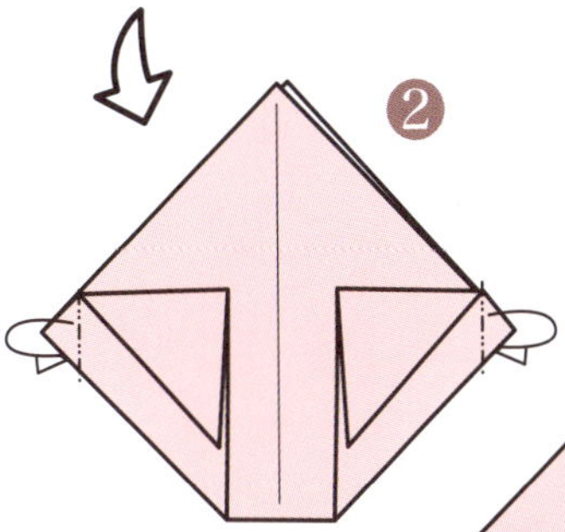

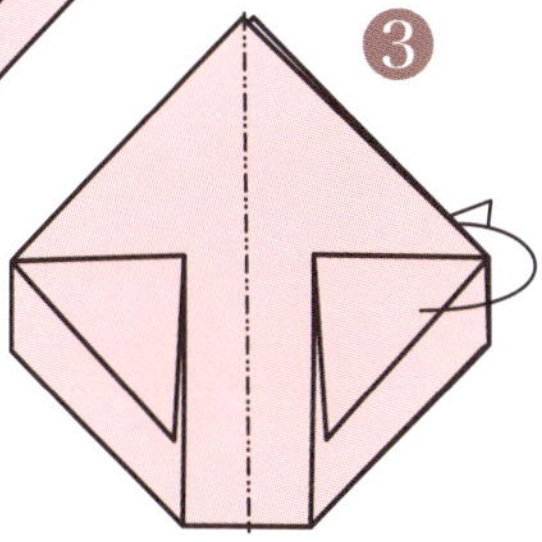

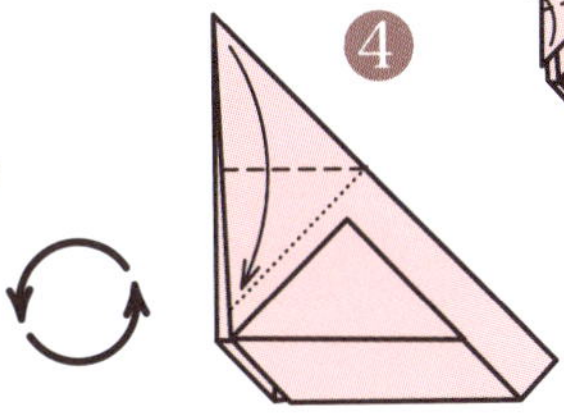

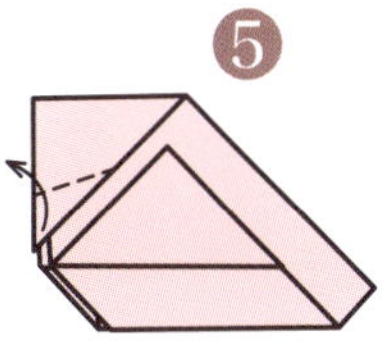

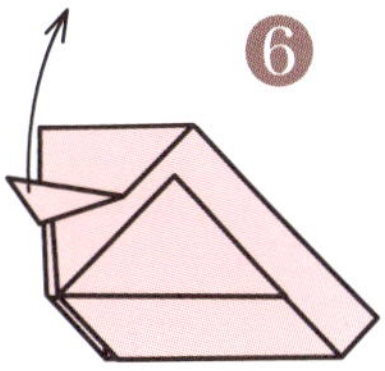

もどします

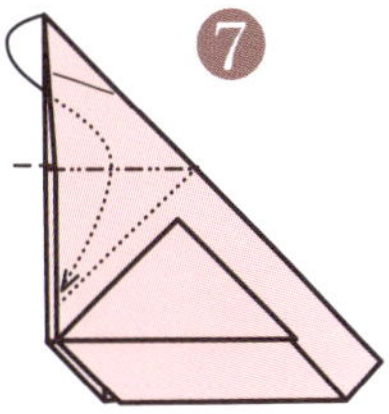

中わり折り

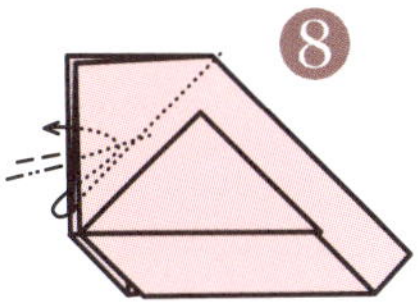

❺でつけたすじで
中わり折り

できあがり

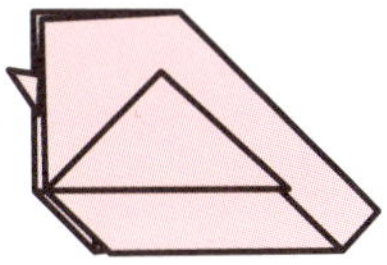

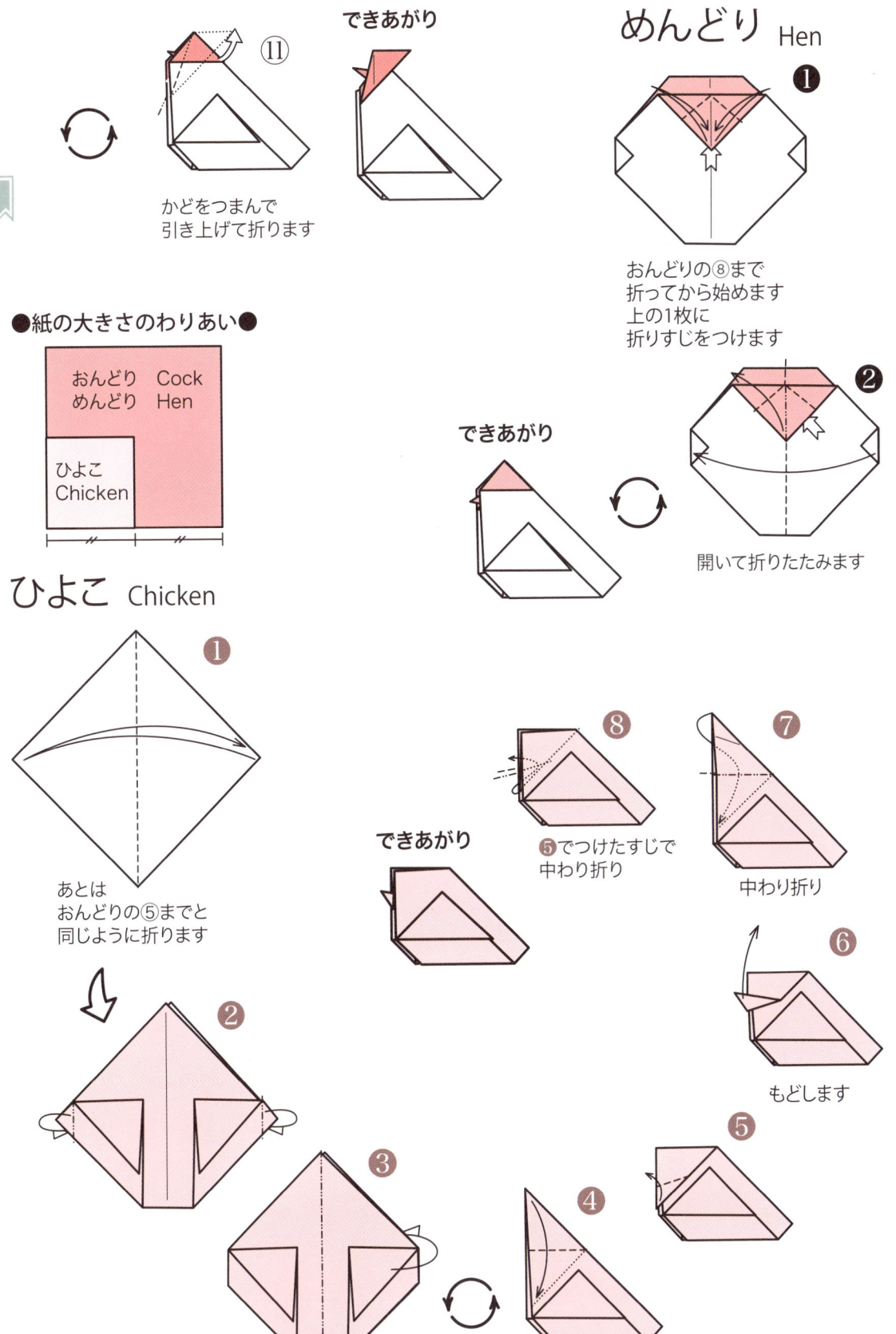

Dog

いぬ（戌）

柴犬、秋田犬などの和犬のイメージです。「ぶたの基本形」からの「うし」と「たつ」でツノだった部分が「耳」になっているのがわかるでしょうか。⑫からは厳密な割合、角度がない「ぐらい折り」です。自由に表情をつけてください。

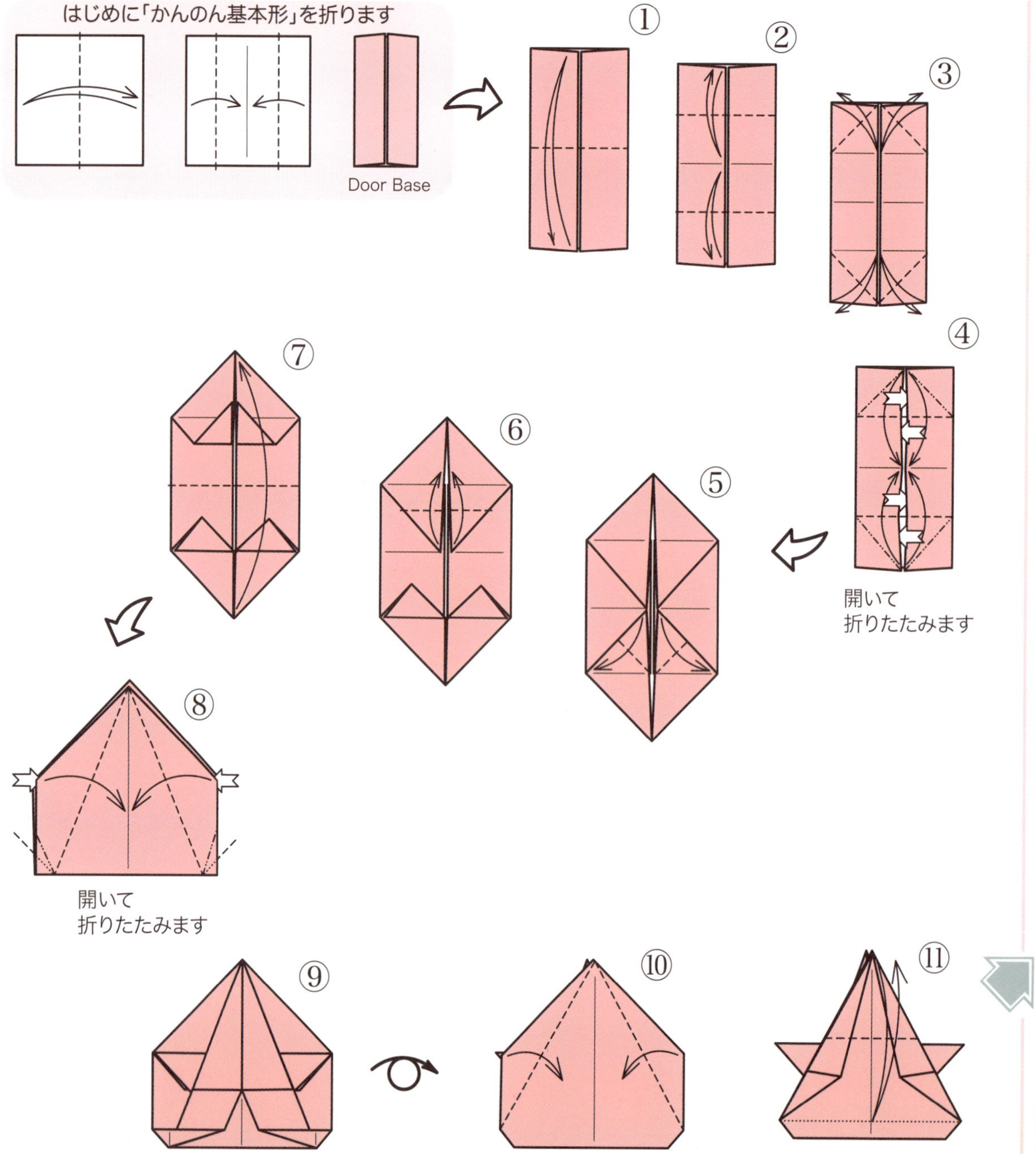

はじめに「かんのん基本形」を折ります
Door Base
①
②
③
④
開いて
折りたたみます
⑤
⑥
⑦
⑧
開いて
折りたたみます
⑨
⑩
⑪

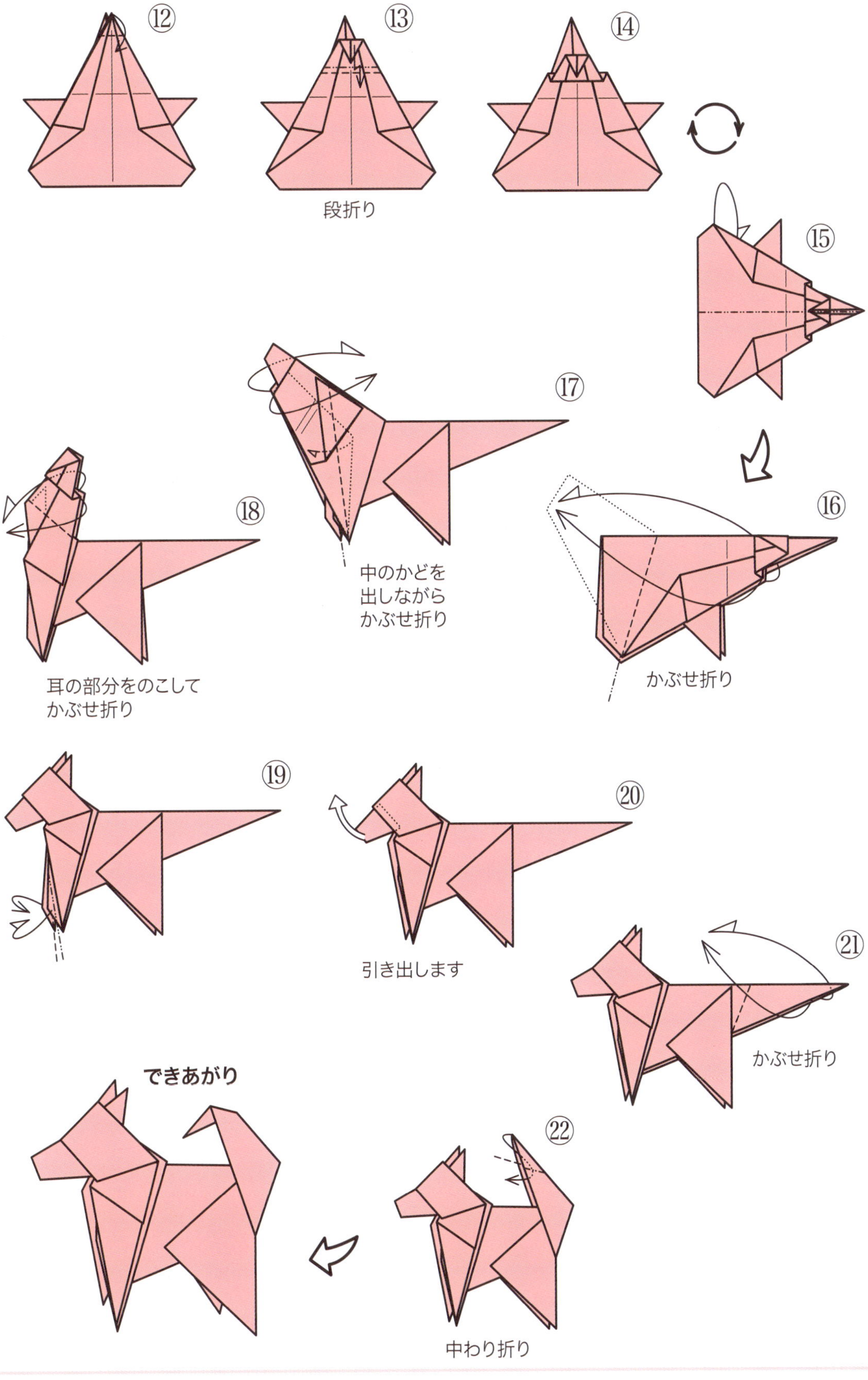
⑫
⑬
段折り
⑭
⑮
⑯
かぶせ折り
⑰
中のかどを
出しながら
かぶせ折り
⑱
耳の部分をのこして
かぶせ折り
⑲
⑳
引き出します
㉑
かぶせ折り
㉒
中わり折り
できあがり

Boar

いのしし（亥）

③の形は「とら」と同じ「ざぶとん基本形」ですが、体に折りすじをつけたくなかったので、①②のように折りました。足の出し方がちょっと変わっているように見えますが、⑥の形は例によって「ぶたの基本形」の変化なのです。

①

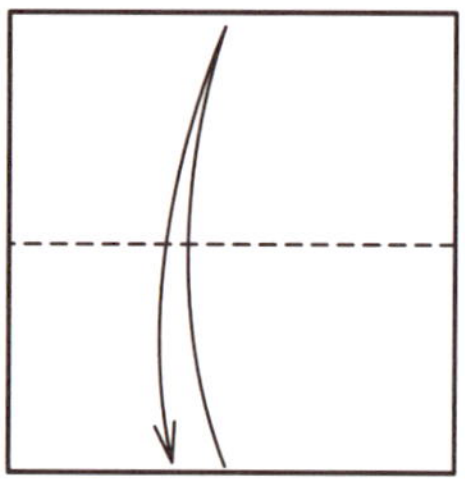

②

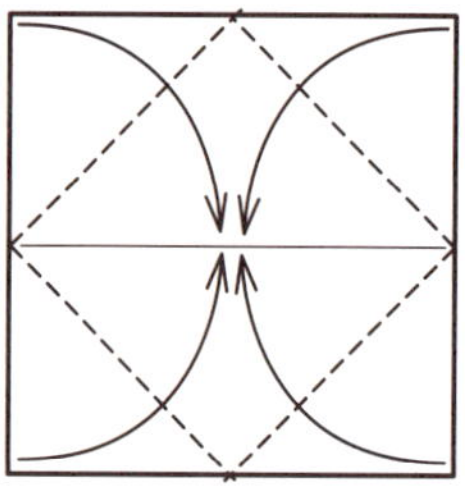

③

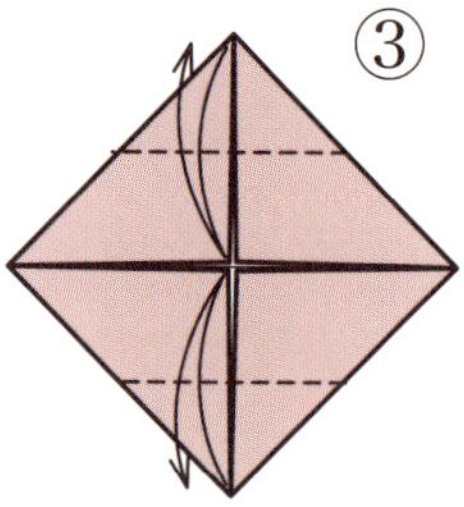

④

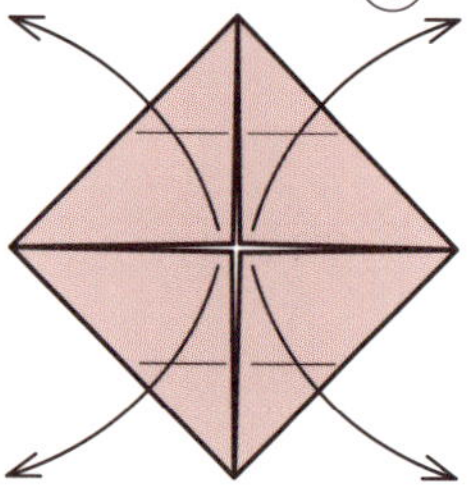

開きます

⑤

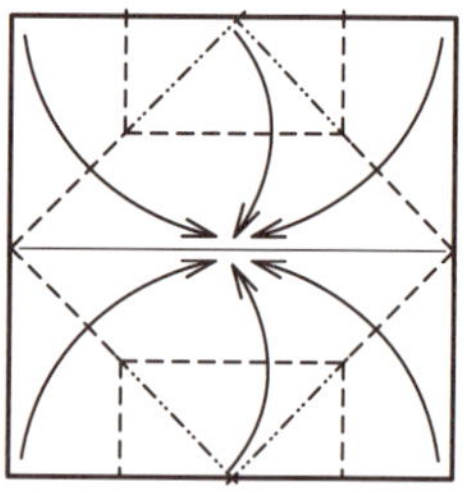

よせるように
折りたたみます

❺

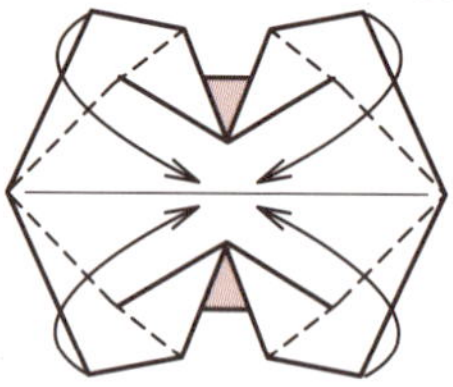

（途中図）

⑥

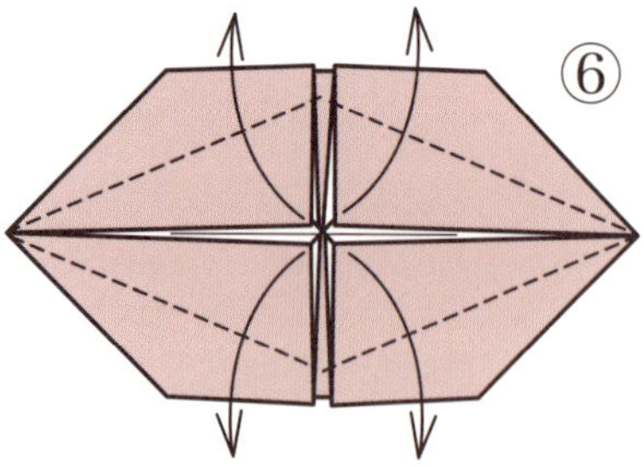

⑦

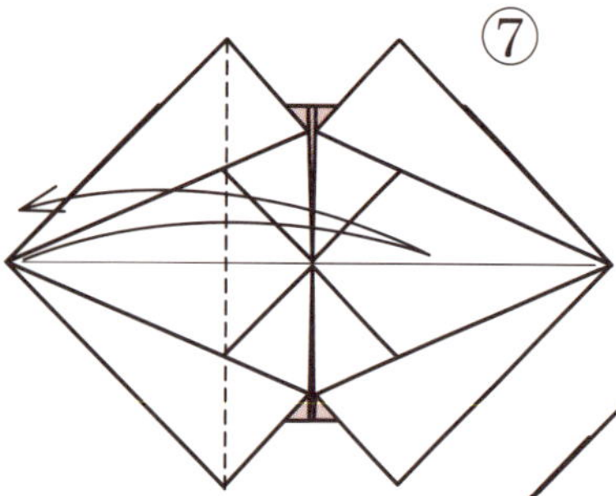

⑧

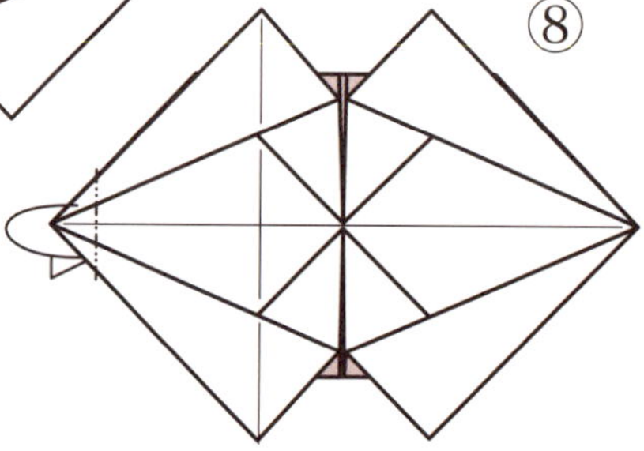

⑨

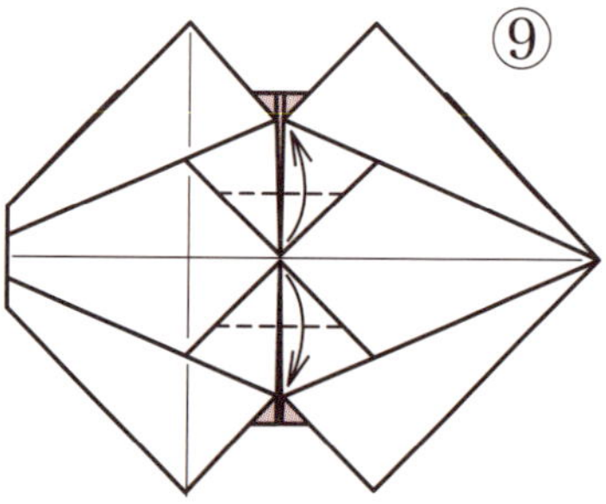

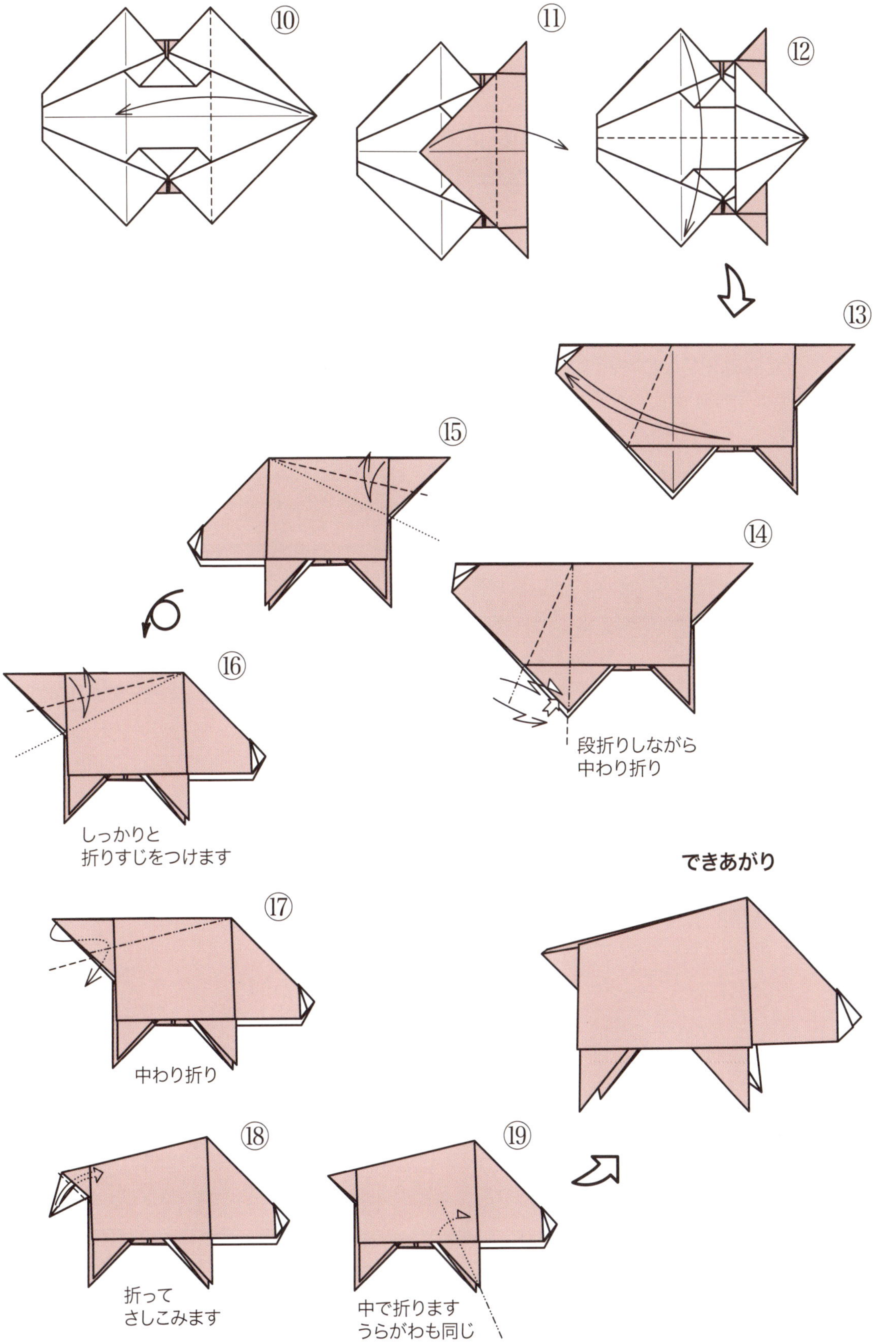
⑩
⑪
⑫
⑬
⑭
段折りしながら
中わり折り
⑮
⑯
しっかりと
折りすじをつけます
できあがり
⑰
中わり折り
⑱
折って
さしこみます
⑲
中で折ります
うらがわも同じ

《干支《えと》あれこれ》

【干支（えと）】

旧暦で十干《じっかん》と十二支とを順に組み合わせたものです。十干を五行《ごぎょう》（中国の昔の思想で宇宙に存在するすべてのものを作っている元とした五つの元素のこと。木、火、土、金、水）によって二つずつに分け、それぞれを「兄《え》」と「弟《と》」に当て、これを十二支と組み合わせると、「甲子（きのえね）」から「癸亥（みずのとい）」までの 60 通りとなります。これにより年、月、日、時刻、方角などを表します。

「十二支」は「子・丑・寅・卯・辰・巳・午・未・申・酉・戌・亥」の 12 種類で、「十干」は「甲・乙・丙・丁・戊・己・庚・辛・壬・癸」の 10 区分です。

＊＊＊

【十二支の動物】

十二支には鼠・牛・虎・兎・龍・蛇・馬・羊・猿・鶏・犬・豚（猪）の十二の動物が当てられます。本来十二支は順序を表す記号で、動物とは無関係でしたが、人々が暦をおぼえやすくするため、身近な動物が当てられたようです。

ベトナムやタイにも十二支に当たるものがありますが、割り当てられる動物に少し違いがあります。ベトナムでは丑は水牛、卯は猫、未は山羊、亥は豚《ぶた》に変わります。タイでは未は山羊《やぎ》、亥は豚に変わります。亥については、むしろ日本が特殊で、亥は中国でも豚です。中国語で「猪」という漢字は一般的に豚を意味します。

＊＊＊

【古方位と十二支】

「子」を北に、右回りに丑、寅、卯…の順に 12 分割されます。「東西南北」の四方位が卯・酉・午・子に当てられるのに加えて、北東・南東・南西・北西はそれぞれ「うしとら」「たつみ」「ひつじさる」「いぬい」と呼ばれます。

五行		十干	干支表					
木《き》の	兄《え》…	▶甲《きのえ》	1 甲子	11甲戌	21甲申	31甲午	41甲辰	51甲寅
	弟《と》…	▶乙《きのと》	2 乙丑	12乙亥	22乙酉	32乙未	42甲巳	52甲卯
火《ひ》の	兄《え》…	▶丙《ひのえ》	3 丙寅	13丙子	23丙戌	33丙申	43丙午	53丙辰
	弟《と》…	▶丁《ひのと》	4 丁卯	14丁丑	24丁亥	34丁酉	44丁未	54丁巳
土《つち》の	兄《え》…	▶戊《つちのえ》	5 戊辰	15戊寅	25戊子	35戊戌	45戊申	55戊午
	弟《と》…	▶己《つちのと》	6 己巳	16己卯	26己丑	36己亥	46己酉	56己未
金《か》の	兄《え》…	▶庚《かのえ》	7 庚午	17庚辰	27庚寅	37庚子	47庚戌	57庚申
	弟《と》…	▶辛《かのと》	8 辛未	18辛巳	28辛卯	38辛丑	48辛亥	58辛酉
水《みず》の	兄《え》…	▶壬《みずのえ》	9 壬申	19壬午	29壬辰	39壬寅	49壬子	59壬戌
	弟《と》…	▶癸《みずのと》	10癸酉	20癸未	30癸巳	40癸卯	50癸丑	60癸亥

十二支
子《ね》(鼠《ねずみ》)
丑《うし》(牛《うし》)
寅《とら》(虎《とら》)
卯《う》(兎《うさぎ》)
辰《たつ》(竜《たつ》)
巳《み》(蛇《へび》)
午《うま》(馬《うま》)
未《ひつじ》(羊《ひつじ》)
申《さる》(猿《さる》)
酉《とり》(鶏《にわとり》)
戌《いぬ》(犬《いぬ》)
亥《い》(猪《いのしし》)

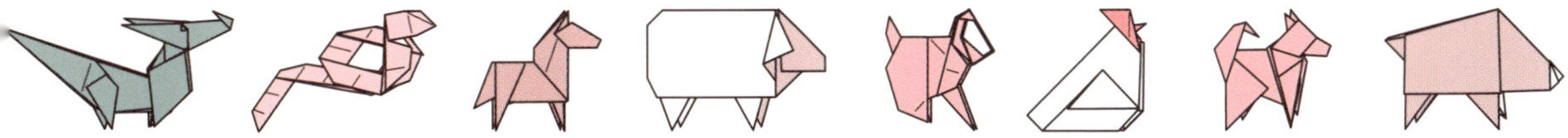

北東を「鬼門」、南西を「裏鬼門」として忌むのは日本独自の風習ですが、（ウシのような）角をはやし、トラの皮のふんどしをしめた「鬼（オニ）」のイメージは、この「うしとら」から来ていると考えられています。

＊＊＊

【時刻の十二支】

時刻に十二支をあてはめる表現法は、江戸初期まで一般的に用いられていました。1日を12分割した2時間の単位を「刻」といい、午の刻、丑の刻のように使います。

昼の十二時を「正午」というのは、午の刻の真ん中のためです。

刻の2時間を30分単位に4分割して初刻・二刻・三刻・四刻とする方法がありました。

怪談などでよく使われる「草木も眠る丑三《み》つどき」という表現は、丑の刻の第三刻のことで、午前2時ごろということになります。

ほかに、日の出を「明け六つ」、日の入りを「暮れ六つ」として、昼夜を各六等分する方法もあります（明け六つ→朝五つ→昼四つ→真昼九つ→昼八つ→夕七つ→暮れ六つ→宵五つ→夜四つ→真夜九つ→夜八つ→暁七つ）。同じ十二分割ですが十二支と直接対応しているわけではありません。「お八《や》つ」はこの数え方のなごりです。

＊＊＊

これら、十二支による方位や時刻の表現は、今では使われなくなりましたが、古典落語や時代劇に登場しますので、参考にしてください。

参考図書：『年中行事事典』（三省堂）、
『英文日本絵とき事典』（JTB）、
『世界大百科事典』（平凡社）
『十二支の話題事典』（東京堂出版）

<十二支と方位、時刻>

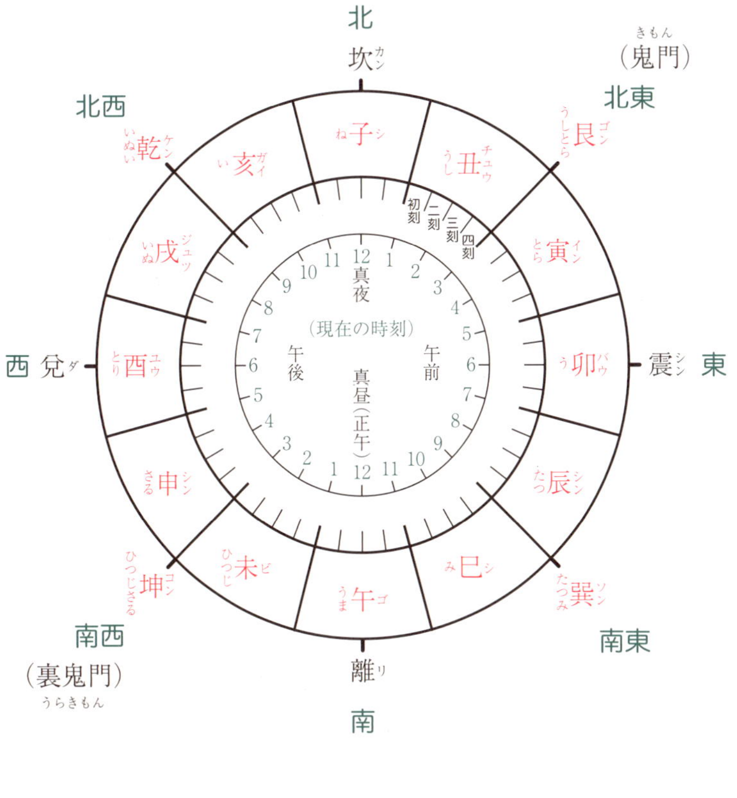

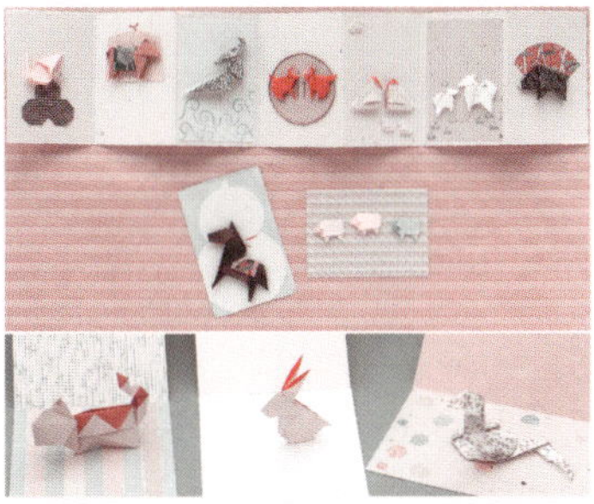

P6の年賀状に使った紙の大きさ
（台紙……15cm×10cm）
- ねずみ……10cm×10cm
- うし………15cm×15cm
- とら………15cm×15cm
- うさぎ……12cm×12cm
- たつ………15cm×15cm
- へび………12cm×12cm
- うま………18cm×18cm
- ひつじ…… 7 cm× 7 cm
- さる………10cm×10cm
- にわとり…7.5cm×7.5cm
- ひよこ……3.75cm×3.75cm
- いぬ………15cm×15cm
  12cm×12cm
- いのしし…12cm×12cm

《十二支ものがたり》

（説話をもとに編集部が構成したものです）

むかしむかし、神様が天と地と動物たちをつくられたばかりのころのこと。ある年の12月の終わり、神様は動物たちに手紙を出しました。

「1月1日の朝、私の宮殿に集まりなさい。早く着いた順に1位から12位まで、順番に一年間、その年の動物たちのリーダーにしよう。みんなをまとめる仕事は難しいと思うがやりがいもあろう。とにかく12は特別な数字なんじゃ。しっかりやってくれよ」

（ネズミ）ウシさん、リーダーってどういうこと？

（ウシ）統率力、指導力が求められる管理職ですね。神様もお忙しいですからね。みんな好き勝手やっていたら目が届かないこともあるでしょうから、みんなで協力しながらつとめてくれよ、ってことでしょう。

（ネズミ）ふうん、じゃあ、たとえば誰にでも命令できたりするのかな？

（ウシ）ちょっと違うと思うけど、まあ、話し合いの場を設けるとかそういうことですね。

ネズミは、理由はともかく「一番になりたい」と強く思いました。そこに猫がやって来ました。

（ネコ）ああ、ずっと昼寝してて手紙のことを忘れてた。ネズミさん、神様が正月に集まれとか何とか、言ってなかったかな？

（ネズミ）ああ、それでしたら2日の朝ですよ。

動物たちは作戦を練りました。

レース前にひとことインタビュー。

（ネズミ）秘策あり。ここでは言えない。

（ウシ）自分はのろいから、前の夜に出発して、寝ずに歩き続けようと思います。

（トラ）私が1位にふさわしい。何人《なんぴと》たりとも私の前を歩かせまいぞ。

（ウサギ）スピードに自信はあるけど、カメの件を教訓に、油断大敵でがんばります。

（タツ）空からひとっ飛びで。

（ヘビ）自分は地道に行くしかないなあ。

（ウマ）逃げるか後方待機か…いずれにしても正々堂々戦います。

（ヒツジ）手紙食べなくてよかったです。仲間がいなくてとても不安ですが、ウマさんに付いて行こうと思います。

（サル）12着までに入ればいいんでしょ？とにかくイヌに負けなきゃいいや。

（ニワトリ）「かあさん、こんな手紙が来てたよ」「あらやだ、お弁当作らなきゃ」「お父さん、がんばって」

（イヌ）12着までに入ればいいんでしょ？とにかくサルに負けなきゃいいや。手紙の匂いを頼りに…。

（イノシシ）持ち前の強引さで最短距離を突っ走ろうと思う。

（ネコ）1日は、翌日に備えて英気を養います。

12月31日の夜。

ウシは作戦どおり夜のうちから出発します。

そこへネズミがウシの背中に飛び乗ります。自分は苦労せずに、運んでもらおうという考えです。秘策とはこのことだったのです。

ウシは夜通し野を越え山を越え、お正月の朝日が昇るころ、神様の御殿にたどり着きました。

（ウシ）やれやれ、ようやく着いたか。あれ、他の動物が見当たらないなあ…さては…（場所間違えたかな？）

するとネズミがピョーンとウシの背から前に飛び出し、宮殿の門をくぐりました。

（ネズミ）やった、一番だ！

（ウシ）ありゃ、なんたること。やれやれ、ずっと背中にいたことに気づかなかったとは…自分に非があったということだ。しかたない、まあ2番でじゅうぶんだ。

結果は皆さんご存知の通り。12番目のイノシシが猛烈な勢いで飛び込んで来たところで、レースは終わりました。

(神)「ご苦労じゃった。それでは、約束どおり、ネズミ、ウシ、トラ、ウサギ、タツ、ヘビ、ウマ、ヒツジ、サル、トリ、イヌ、イノシシの順番に、一年ずつ、その年のリーダーにしてやろう。今日はゆっくり楽しんでいくがよい」

神様は集まった動物たちにお酒やごちそうをふるまい、1月1日はみんなで楽しく過ごしました。

次の日の朝、猫が神様の御殿に現れました。

(ネコ)神様、リーダーの件ですが、私が1番のようですね。

(神)おや？ 1日の朝と伝えたはずじゃ。日付を間違えたようじゃな。もうレースと宴は済んでしまったぞ。…まあ12の動物たちの言うことをよく聞いて、くれぐれも精進するようにな。

(ネコ)そんな、ひどい…ネズミのやつめ、だましたな！許さん！

そんなわけで、今でもネコはネズミを見るたびに追いかけ回しているのでした。

＊＊＊

(ブ)解説は私ブタ。ゲストにタツノオトシゴさんをお迎えしました。

(タ)どうぞよろしく。

(ブ)タツノオトシゴさんの上司にあたるタツは5番目。この順位をどう思われますか。

(タ)さすがに貫禄の上位入着ですが、気になったのはヘビのレースぶりです。タツはもともとヘビの大先輩にあたりますから、タツに対して遠慮があったのかもしれませんが、実力的には大きな差がありますので、逆に言えばヘビは大健闘といえるでしょうね。

(ブ)サルとイヌの間にニワトリが入着です。

(タ)足の引っぱり合いばかりしている両者を仲裁していたようですね。

(ブ)困ったもんですねえ。

(タ)ご家族は「パパらしいおせっかいで、ほっとけなかったんでしょう」とのことです。

(ブ)優勝候補の筆頭だったトラは、3着という結果でした。

(タ)正攻法、本格派というスタイルを貫いてベストを尽くしたから悔いはないでしょう。

(ブ)それにしても、このレースの最大のポイントはネズミの作戦ですが。

(タ)そうですねえ、ライバルを蹴落として、また他者に便乗するという、手段を選ばないというか、ルール違反ぎりぎりの二段構えが功を奏したと言えますね。これを機に、ネズミは有頂天にならず、リーダーシップを身に着けてほしいものですね。

(ブ)ネコは…。

(タ)まあ軽率でしたね。しかしもうずいぶん昔の話ですから、いいかげんネズミを追いかけるのも止めにしたらどうですかね。

(ブ)私事ですが、同僚のイノシシが12番目に入って本当によかったです。いつもとにかく強引なのでハラハラしっ放しでした。

(タ)サカナは最初から仲間はずれだったのかなあ？

(ブ)間もなく紙面が尽きますので、最後にひとことお願いします。

(タ)もし次の機会があれば、魚類として参加してみようと思います。ここでもネコ対策が必要でしょうね。

(ブ)ありがとうございました。

(タ)また呼んでください。

Cat

ねこ

「十二支ものがたり」では、ねずみの策略で、十二支に入れてもらえませんでした。ベトナムの十二支では、うさぎのかわりに、ねこが入るそうです。「卯」の発音(Mão)が、ねこ(Mèo)と似ていることと、ねこがうさぎより身近なことからだそうです。

(月刊おりがみ 366 号掲載)

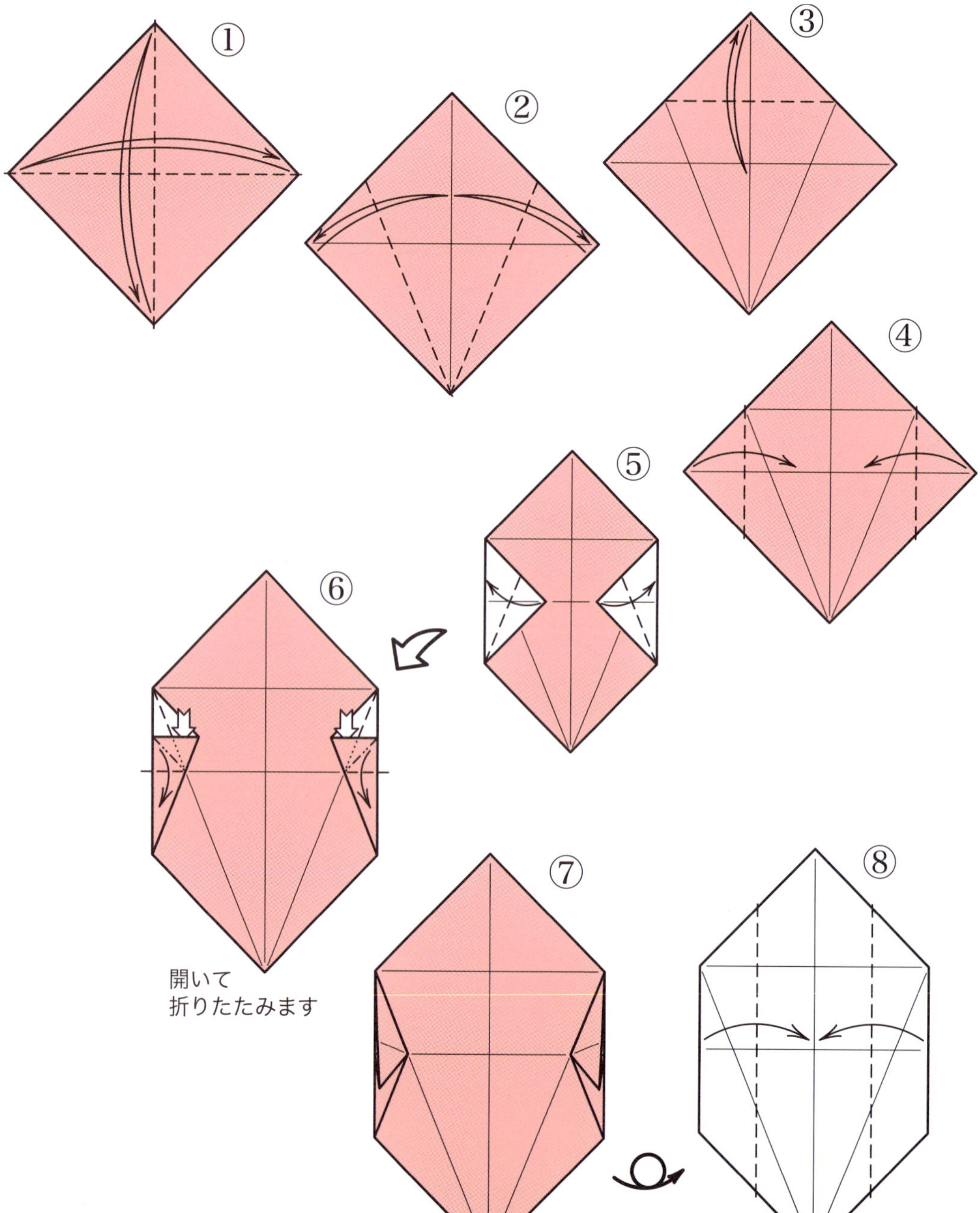

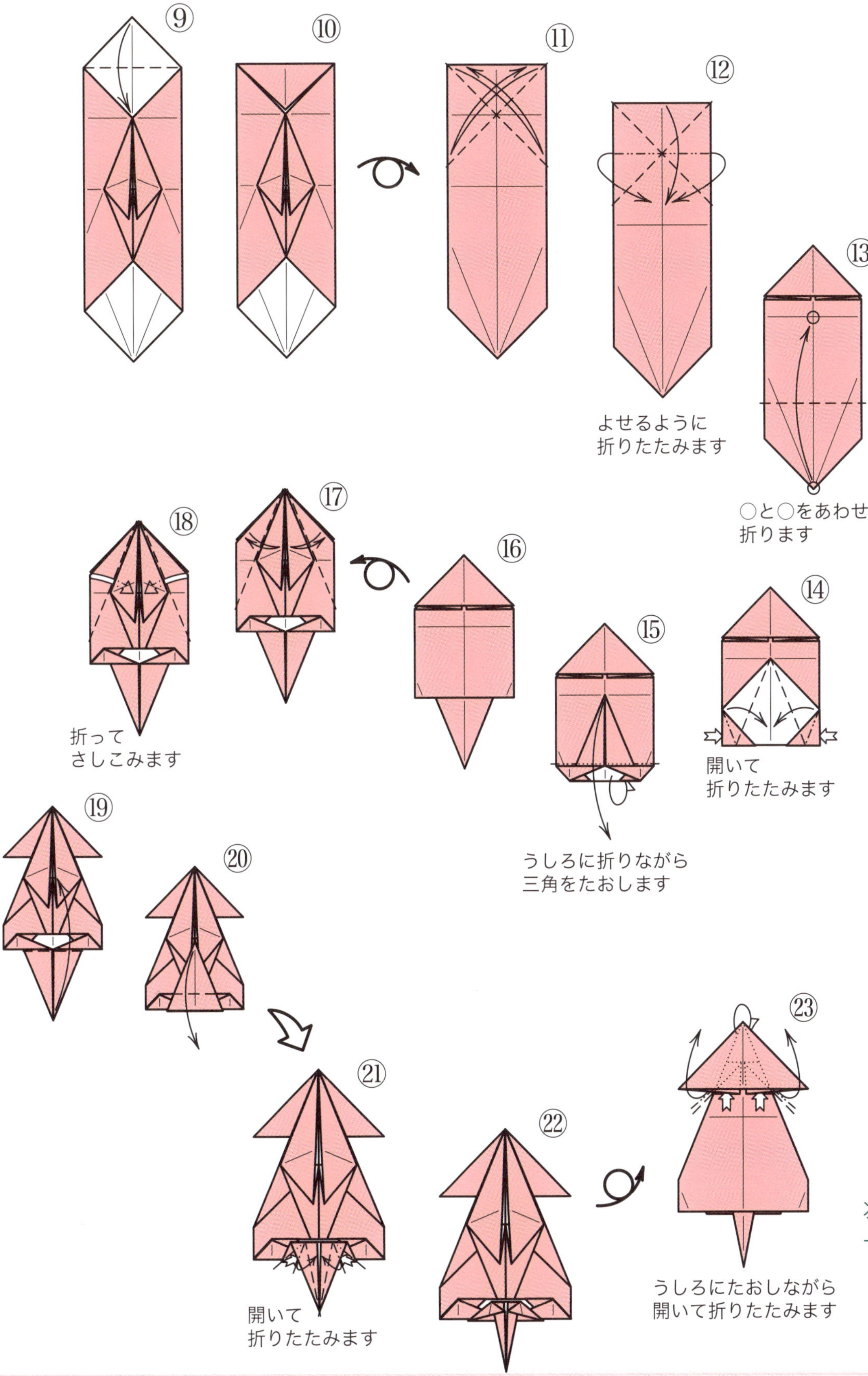
⑨
⑩
⑪
⑫
よせるように
折りたたみます
⑬
○と○をあわせて
折ります
⑭
開いて
折りたたみます
⑮
うしろに折りながら
三角をたおします
⑯
⑰
⑱
折って
さしこみます
⑲
⑳
㉑
開いて
折りたたみます
㉒
㉓
うしろにたおしながら
開いて折りたたみます

次ページの
上につづく

㉔

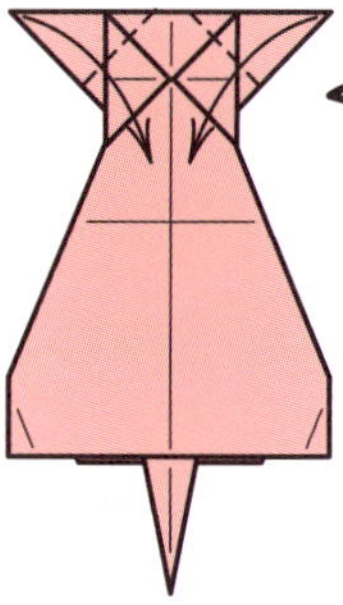

㉕

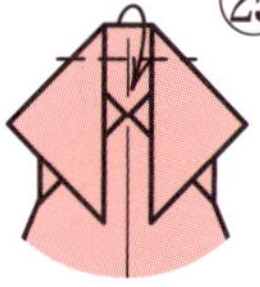

（部分図）

㉖

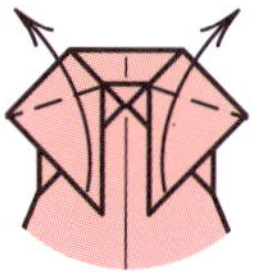

前ページから
つづく

㉗

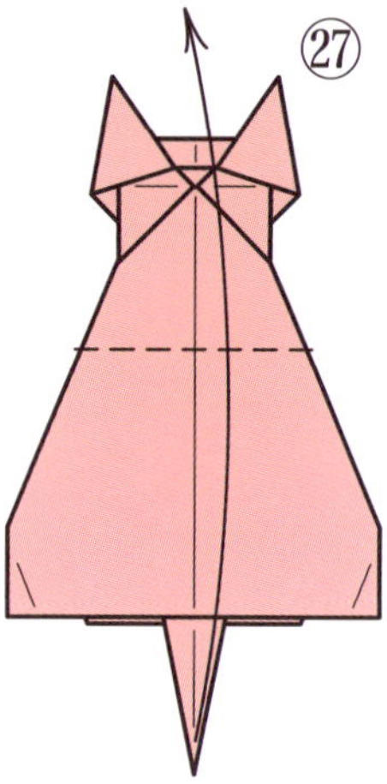

ついているすじで
折ります

㉘

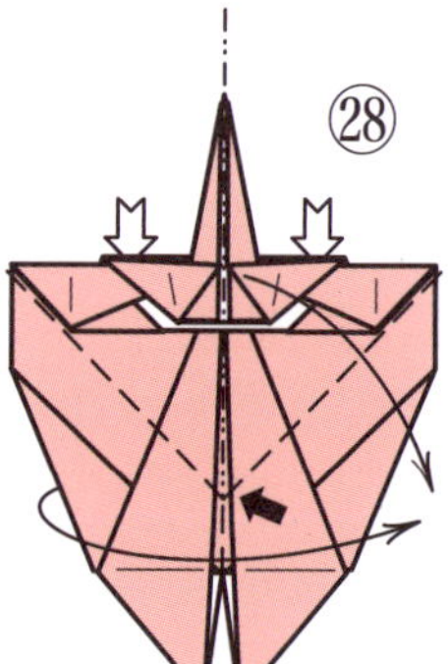

よせるように
折りたたみます

❷❽

（途中写真）

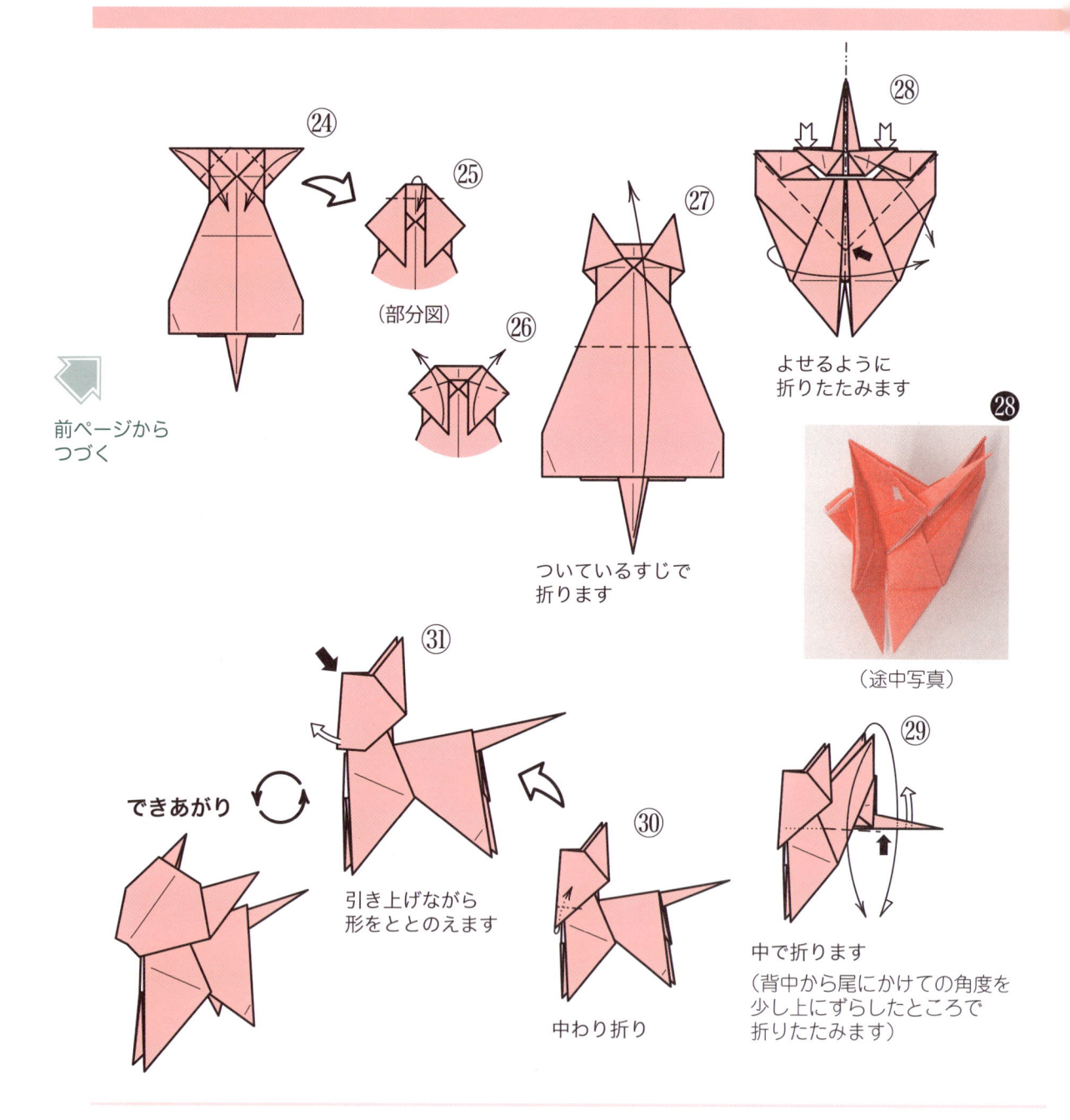

㉙

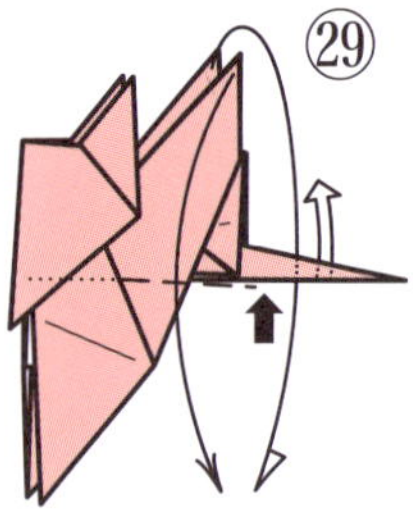

中で折ります
（背中から尾にかけての角度を
少し上にずらしたところで
折りたたみます）

㉚

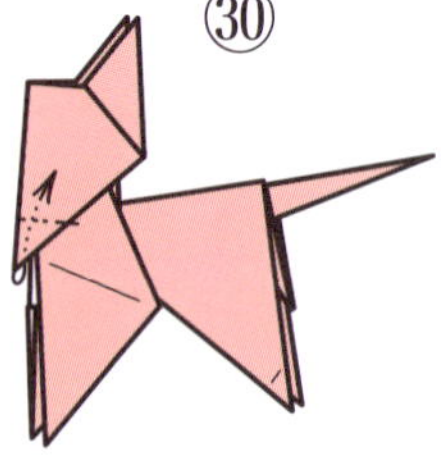

中わり折り

㉛

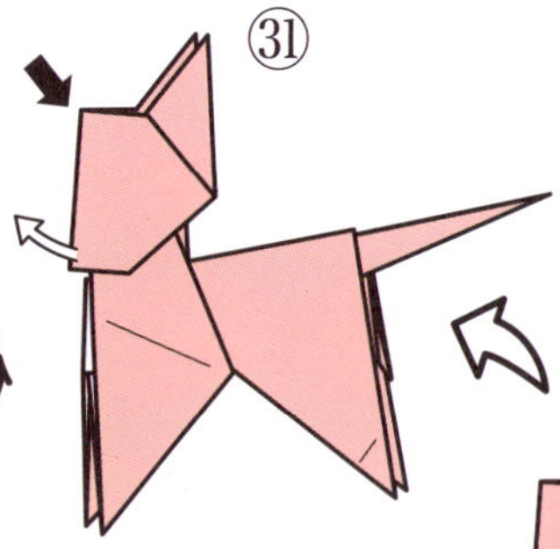

引き上げながら
形をととのえます

できあがり

こどもの日、端午の節供

1948（昭和23）年に、5月5日はこどもの日として「こどもの人格を重んじ、こどもの幸福をはかるとともに、母に感謝する」国民の祝日になりましたが、もともとは端午《たんご》の節供《せっく》でした。端午とは月の初めの午《うし》の日という意味で、午は同じ音なので五につながり五月五日となりました。旧暦のこの時期は病気のはやる梅雨の季節で、薬効のあるショウブやヨモギで邪気をはらう行事が中国から伝わり行われていました。これが田植え前の女性たちがショウブやヨモギで飾った家にこもったり、ショウブ湯に入ったりして身をきよめる風習と結び付き、女性の祭りとなります。武家社会の鎌倉時代になると、ショウブが尚武《しょうぶ》（武事を大事にすること）に通じることから勇壮な行事が行われるようになり、ショウブで作られた簡単な兜である菖蒲兜《しょうぶかぶと》が飾られたりしました。さらに江戸時代に入ると、男児の健やかでたくましい成長と立身出世を祈る行事となり、これが武家から一般の町民に広がりました。

●参考図書：『年中行事事典』（三省堂）、『記念日・祝日の事典』（東京堂出版）、『日本の年中行事事典』（吉川弘文館）、『年中行事・記念日事典』（学研）、『歳時記・にほんの行事』（池田書店）、『和のしきたり』（日本文芸社）、『変わり兜図説』（新人物往来社）、『朝日新聞』（朝日新聞社）、『世界大百科事典』（平凡社）

Swine

ぶた

もともと亥は、いのししではなく、ブタのことで、富の象徴となっています。中国や韓国などでは60年に一度、「金のぶたの年」と呼ばれる縁起のよい年があります。

（月刊おりがみ157号掲載）

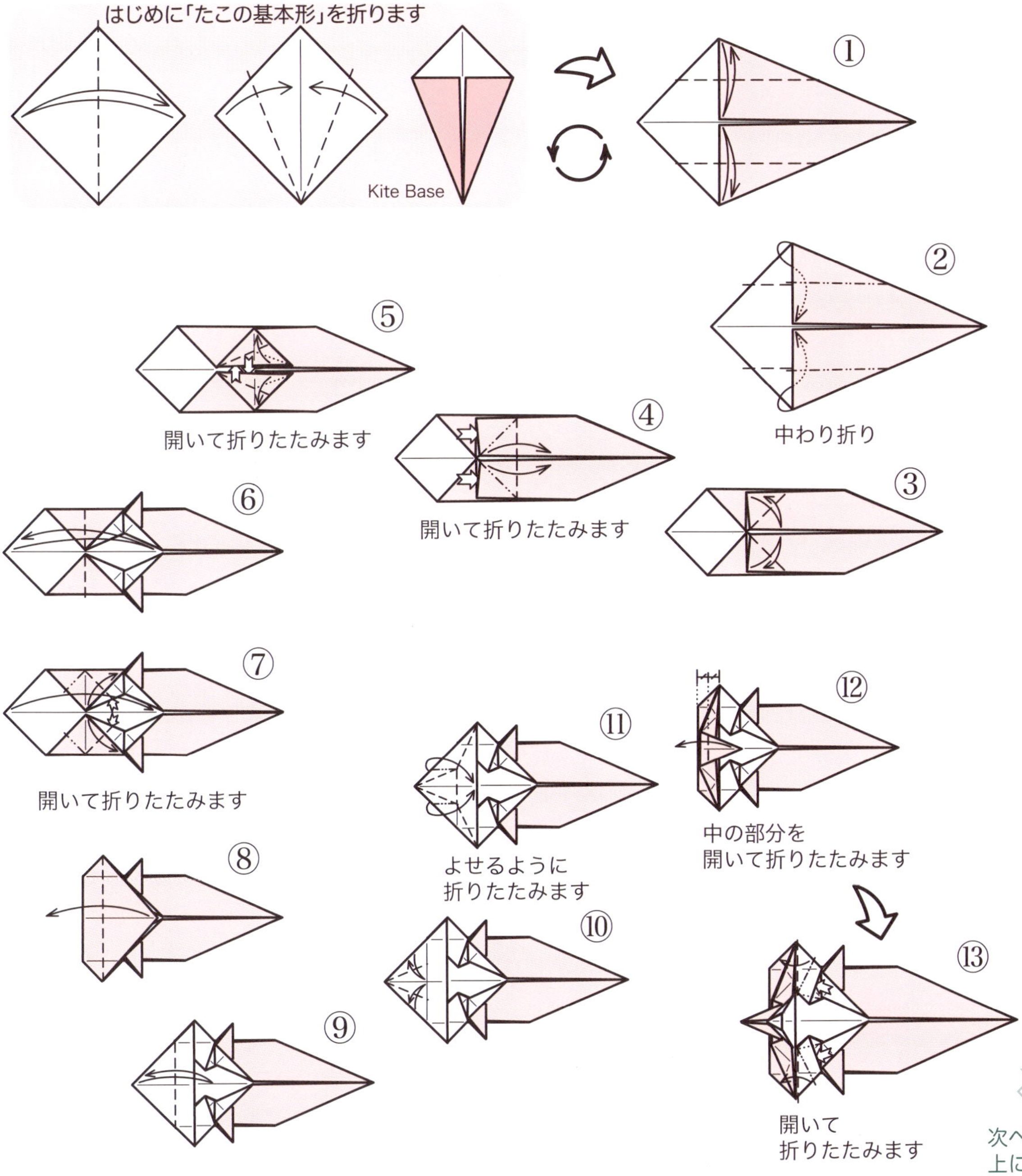
はじめに「たこの基本形」を折ります
Kite Base
①
②
中わり折り
③
④
開いて折りたたみます
⑤
開いて折りたたみます
⑥
⑦
開いて折りたたみます
⑧
⑨
⑩
⑪
よせるように
折りたたみます
⑫
中の部分を
開いて折りたたみます
⑬
開いて
折りたたみます

次ページの
上につづく

前ページから
つづく

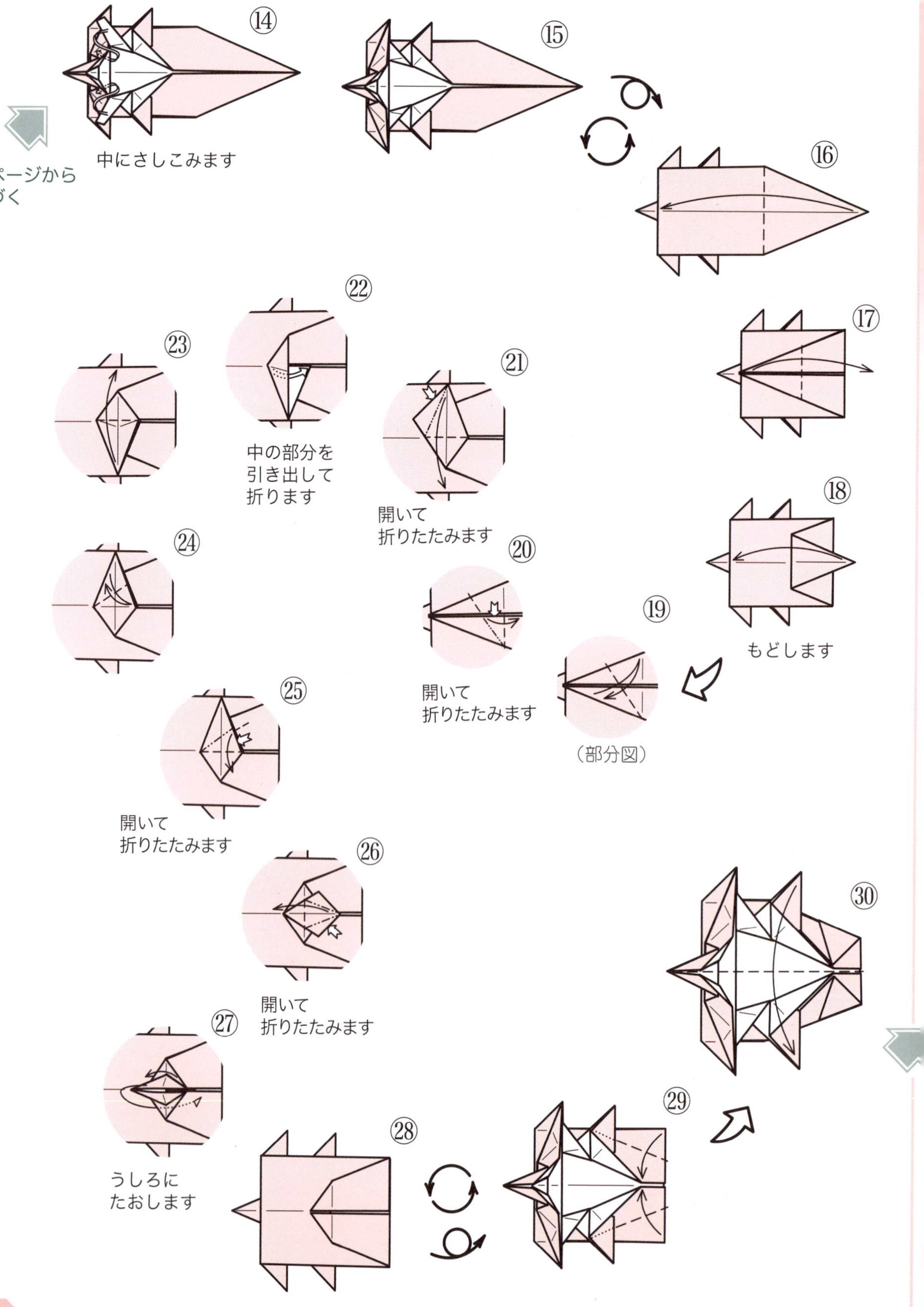
⑭
中にさしこみます
⑮
⑯
⑰
⑱
もどします
⑲
（部分図）
⑳
開いて
折りたたみます
㉑
開いて
折りたたみます
㉒
中の部分を
引き出して
折ります
㉓
㉔
㉕
開いて
折りたたみます
㉖
開いて
折りたたみます
㉗
うしろに
たおします
㉘
㉙
㉚

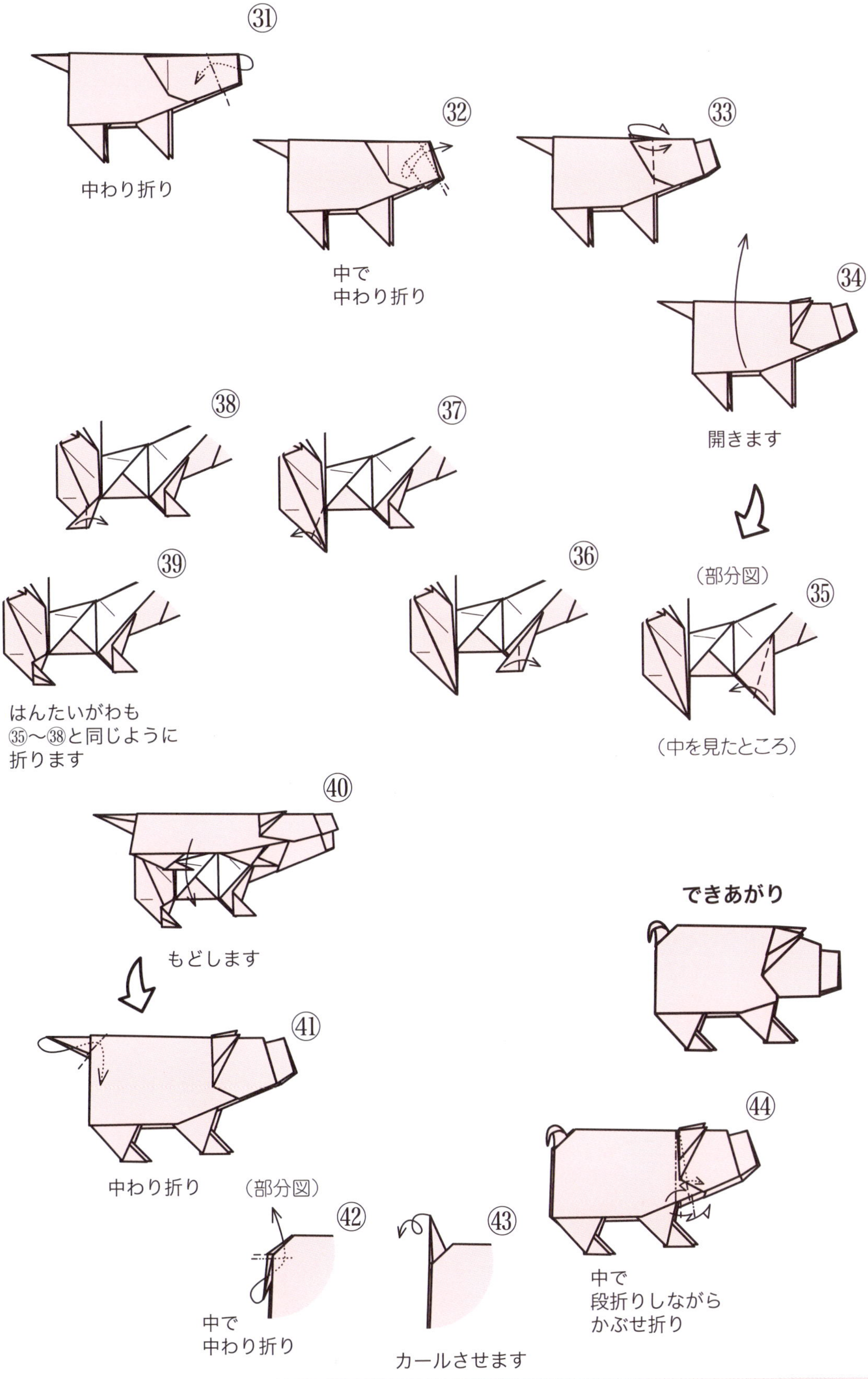
㉛
中わり折り
㉜
中で
中わり折り
㉝
㉞
開きます
(部分図)
㉟
(中を見たところ)
㊱
㊲
㊳
㊴
はんたいがわも
㉟〜㊳と同じように
折ります
㊵
もどします
㊶
中わり折り
(部分図)
㊷
中で
中わり折り
㊸
カールさせます
㊹
中で
段折りしながら
かぶせ折り
できあがり

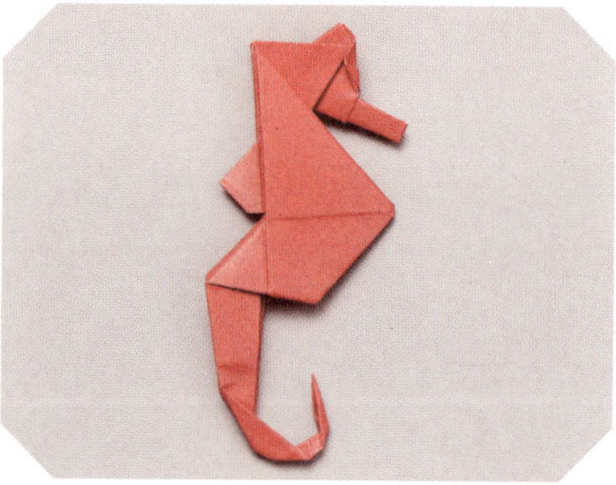

Sea horse

タツノオトシゴ

辰年の年賀状に、かわいいイラストでよく登場します。こんな姿でも魚なんですね。オリガミらしい形にできあがりました。

（月刊おりがみ 437 号掲載）

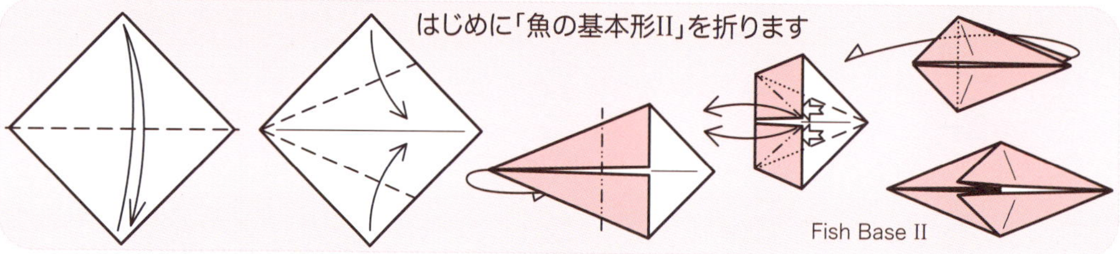

はじめに「魚の基本形II」を折ります
Fish Base II

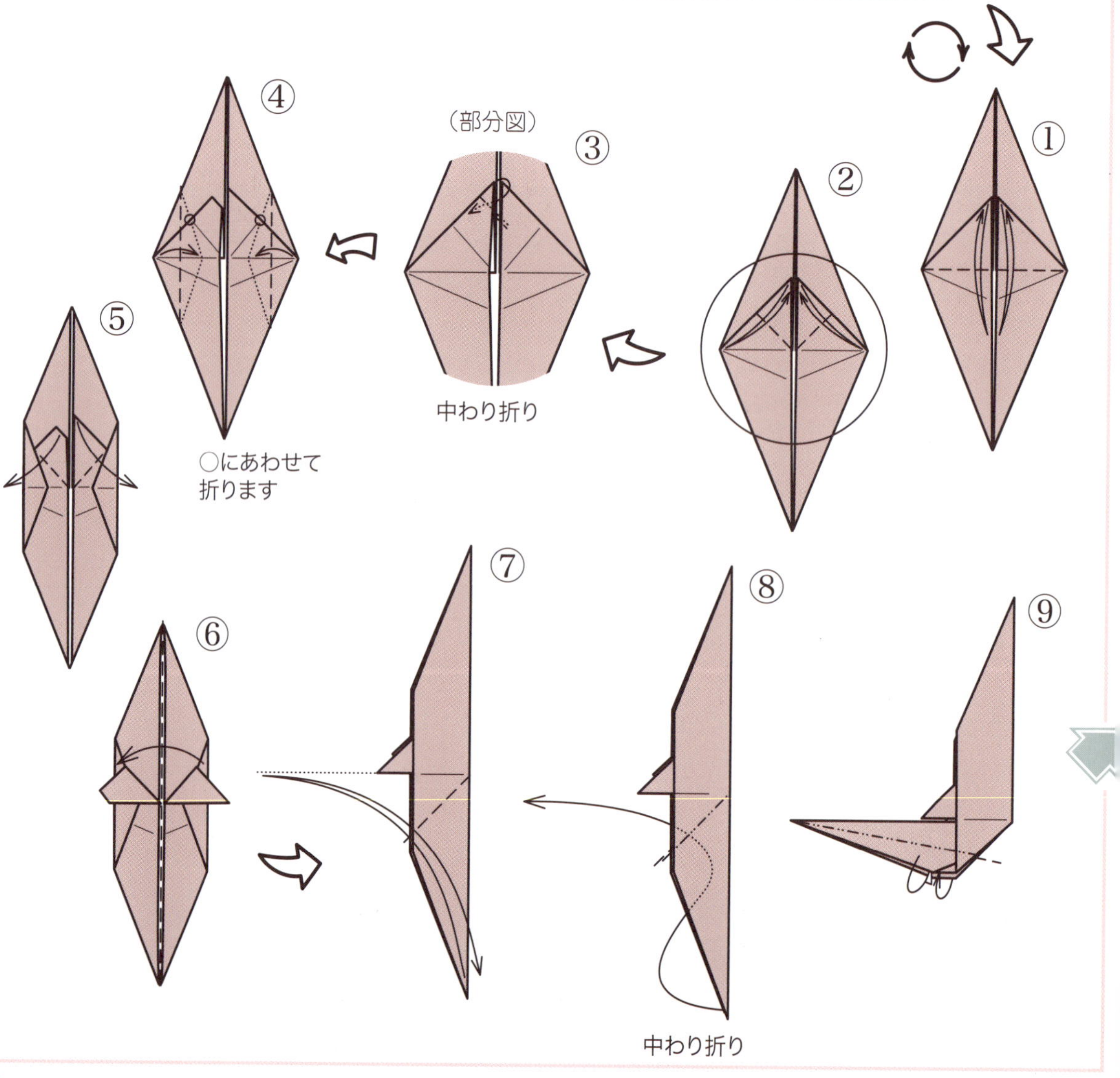

①
②
③
（部分図）
中わり折り
④
○にあわせて
折ります
⑤
⑥
⑦
⑧
中わり折り
⑨

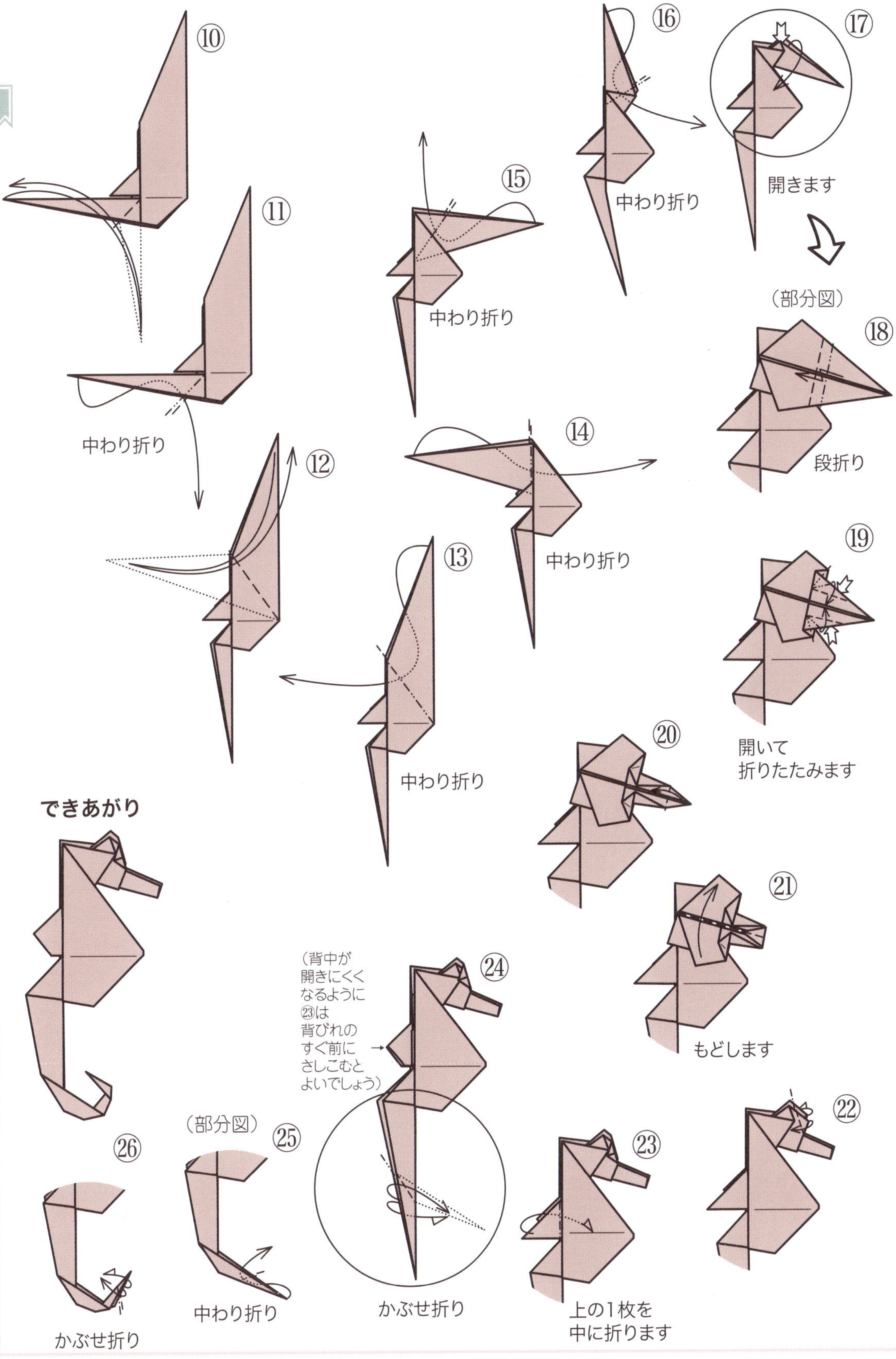
⑩
⑪
中わり折り
⑫
⑬
中わり折り
⑭
中わり折り
⑮
中わり折り
⑯
中わり折り
⑰
開きます
（部分図）
⑱
段折り
⑲
開いて
折りたたみます
⑳
㉑
もどします
㉒
㉓
上の1枚を
中に折ります
㉔
（背中が
開きにくく
なるように
㉓は
背びれの
すぐ前に
さしこむと
よいでしょう）
かぶせ折り
（部分図）
㉕
中わり折り
㉖
かぶせ折り
できあがり

《ものしり十二支の動物》

◇ねずみ◇

昔から人間の生活に密着してきた動物です。病気を運ぶので嫌われますが、クマネズミの毛は蒔絵《まきえ》の筆の材料になるなど、利用もされてきました。また、霊力を持つ生き物と信じられ、占いなどにも用いられました。

◇うし◇

乳や肉が食用や薬用に、皮が衣類などに、糞《ふん》が燃料や肥料などに用いられ、とても役に立つ動物です。また強い力で人々を助けてきました。旧石器時代のスペインのアルタミラやフランスのラスコーの洞窟《どうくつ》壁画に牛の絵があるのも、牛と人間の関わりが長い歴史を持つという証拠です。

◇とら◇

アジアで百獣の王といわれ、猛獣として恐れられる一方、守護神や魔除けの象徴と考えられました。皮も邪悪な物を避ける力を持つとされ、武具に用いられたり、鬼が着るものと信じられました。日本には生息しませんが、古くからその存在は伝えられてきました。

◇うさぎ◇

ウサギは神の性格を持つ動物とみなされ、平和、温順のお守りとされています。

◇たつ◇

竜《りゅう》は想像上の生き物。通常地中にすみ、必要な時に尺木《しゃくぼく》と呼ばれるツノを使って天空を飛んで、天の神と交流できると信じられ、中国では天子や皇帝の象徴とされました。日本で「たつ」と呼ばれるのは豊かな実りと富をもたらす「神様の出現」という意味からといわれています。

◇へび◇

脱皮することから永遠の命を持つ生き物として崇《あが》められました。春に現れるので「田の神」とされ、秋には冬眠のため山に帰るので「山の神」とされました。ネズミなどを捕るので家の守り神とも考えられ、湿地を好むので稲作農耕社会に豊かさをもたらす水神と重なっていきました。

◇うま◇

馬は古くから神聖な生き物で、神様の乗り物と考えられてきました。はじめは生きた馬を神に捧げていたのが次第に土や木で作った馬にかわり、やがて馬の絵を描くようになったのが「絵馬」です。

◇ひつじ◇

側頭部のらせん形のツノと、縮れた「羊毛」をもつのが特徴ですが、品種によってツノを持たないもの、雄雌両方にあるもの、雄だけがツノを持つものがあります。家畜化は犬に次いで古く、約8000年前に飼育が始まったといわれています。群れる性質は家畜化に向いていました。

◇さる◇

哺乳《ほにゅう》類でヒトに似た猿猴《えんこう》類の総称です。日本では山の神や日吉《ひえ》神社の使者とされました。孫悟《そんご》空《くう》のモデルで、インド二大叙事詩の一つ「ラーマーヤナ」で活躍するハヌマーンも猿神。「猿」はテナガザル、「猴」は孫悟空やニホンザル（ヒトに近い方）と、正しくは使い分けるそうです。

◇とり◇

ニワトリはキジ科の、昔から人々にとってもっとも身近な家禽《かきん》（家で飼う鳥）です。数種の野鶏が紀元前3000年ごろインドで交雑、家禽化したといわれ、日本へは中国や朝鮮から紀元前300年には伝えられたとされ、古墳《こふん》時代の埴輪《はにわ》にもニワトリをかたどったものがあります。

◇いぬ◇

ペットとして人気の犬は、２万年以上も前から人間との共同生活をしていました。犬は人間の狩猟を助け、かわりに人間は犬にえさを与えました。多産にもかかわらずお産が軽い犬は、日本では安産の守り神とされ、妊娠5か月目の戌の日に腹帯《はらおび》を巻く風習があります。

◇いのしし◇

ヨーロッパやアジアに広く分布。ブタの祖先とも考えられています。日本では漢字で「猪」と書きますが、この字を使うと中国では「家猪」つまりブタを指します。肉が美味なため古くから狩猟の対象となり、山の神様からの授かり物として感謝する儀礼が各地にあります。

参考図書：『日本の民話えほん 十二支のはじまり』（教育画劇）、『じゅうにし の はなし』（チャイルド本社）、『十二支の話題事典』（東京堂出版）、『世界大百科事典』（平凡社）

Japanese helmet

かぶと

自分なりにカッコイイかぶとを作りたいと思いました。風船基本形にちょっとした仕込みをいれるのがミソ。この作品以降、デザインの変化が次々生まれ、ライフワークのようになっています。　（月刊おりがみ 165 号掲載）

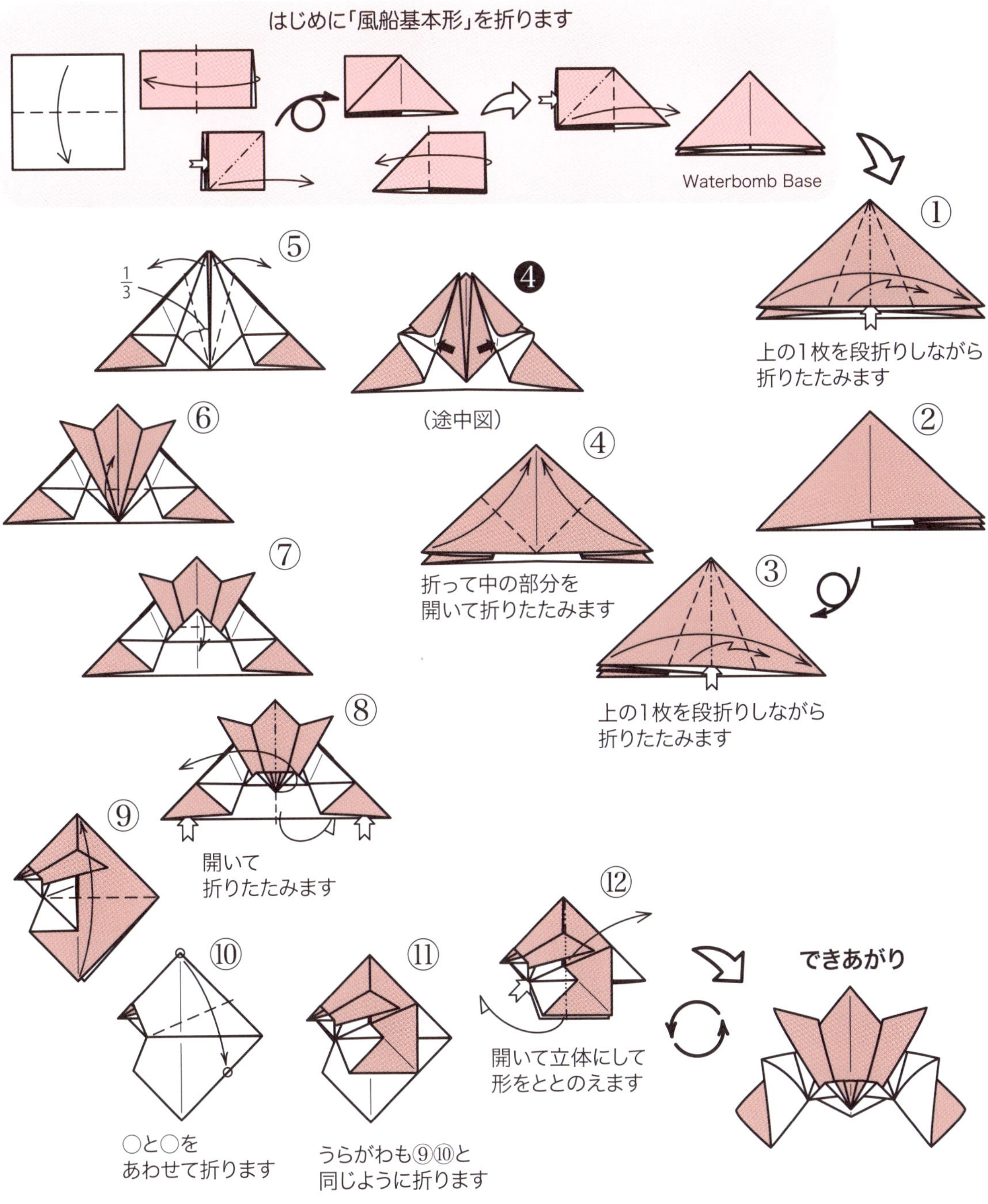

はじめに「風船基本形」を折ります
Waterbomb Base
①
上の1枚を段折りしながら
折りたたみます
②
③
上の1枚を段折りしながら
折りたたみます
④
折って中の部分を
開いて折りたたみます
❹
（途中図）
⑤
1/3
⑥
⑦
⑧
開いて
折りたたみます
⑨
⑩
○と○を
あわせて折ります
⑪
うらがわも⑨⑩と
同じように折ります
⑫
開いて立体にして
形をととのえます
できあがり

Japanese helmet

かぶと

くわがたの色をはっきりと変えました。大きめの「吹返《ふきかえし》」や「眉庇《まびさし》」といった、かぶとを形作る個々の要素を前面に出したデザインです。

（月刊おりがみ 393 号掲載）

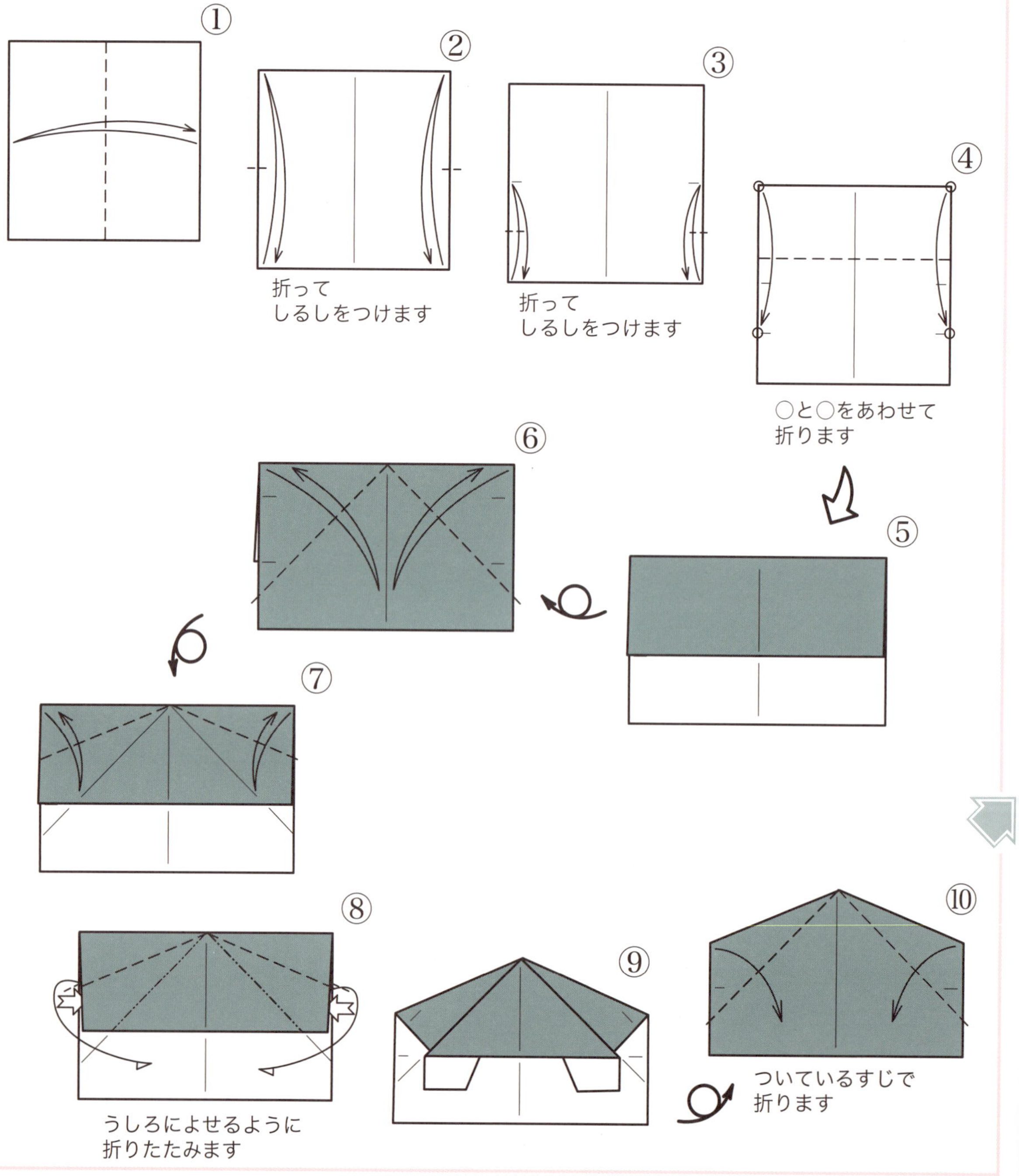

①
②
折って
しるしをつけます
③
折って
しるしをつけます
④
○と○をあわせて
折ります
⑤
⑥
⑦
⑧
うしろによせるように
折りたたみます
⑨
⑩
ついているすじで
折ります

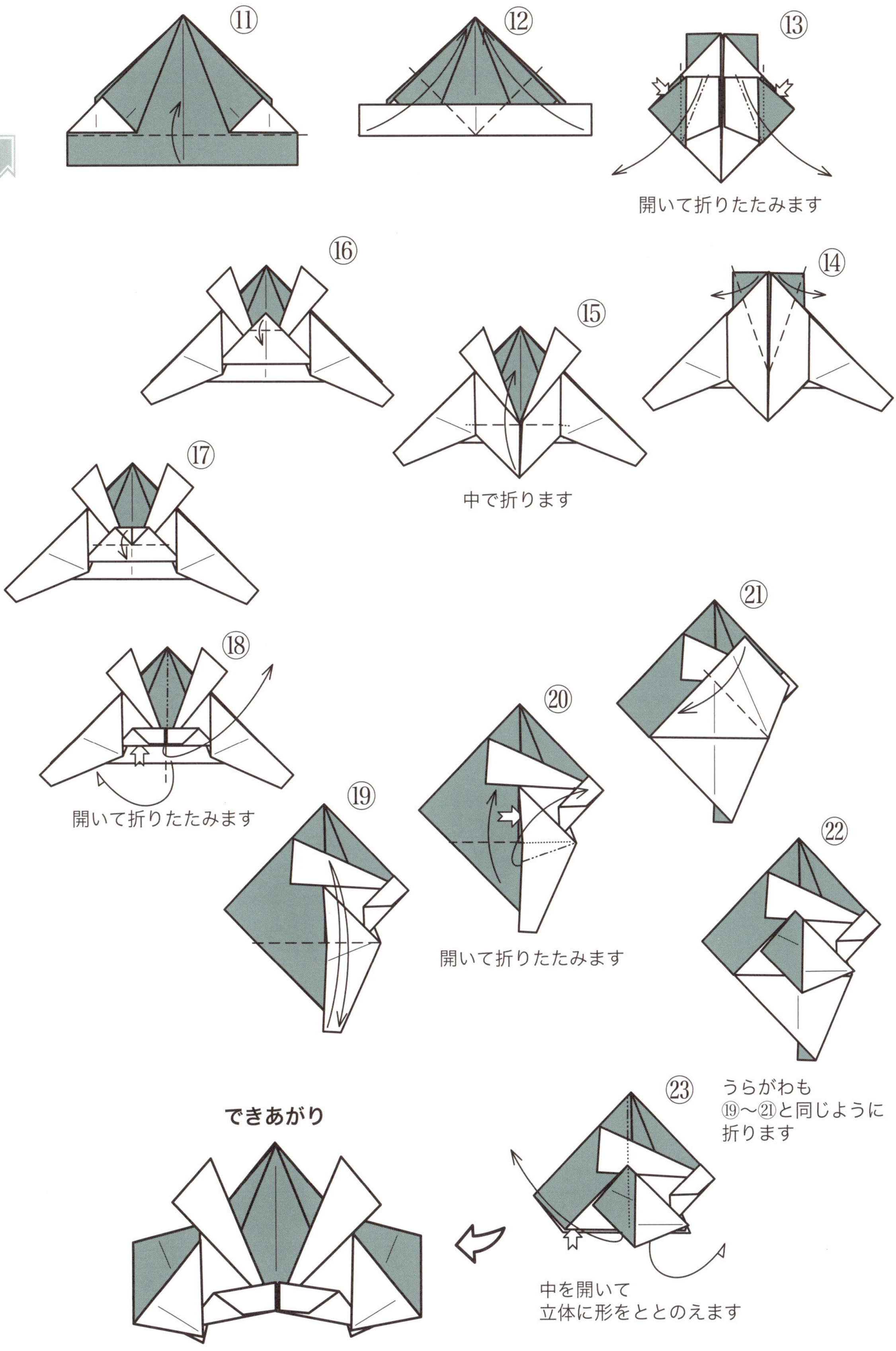
⑪
⑫
⑬
開いて折りたたみます
⑯
⑭
⑮
中で折ります
⑰
⑱
開いて折りたたみます
㉑
⑳
開いて折りたたみます
⑲
㉒
うらがわも
⑲〜㉑と同じように
折ります
できあがり
㉓
中を開いて
立体に形をととのえます

Japanese helmet

かぶと

くわがたを特に強調したタイプです。『441号』掲載の兜の、完成時のまとまりの悪さが解消しました。ただし、「吹返《ふきかえし》」は紙の裏面となってしまいますが…。

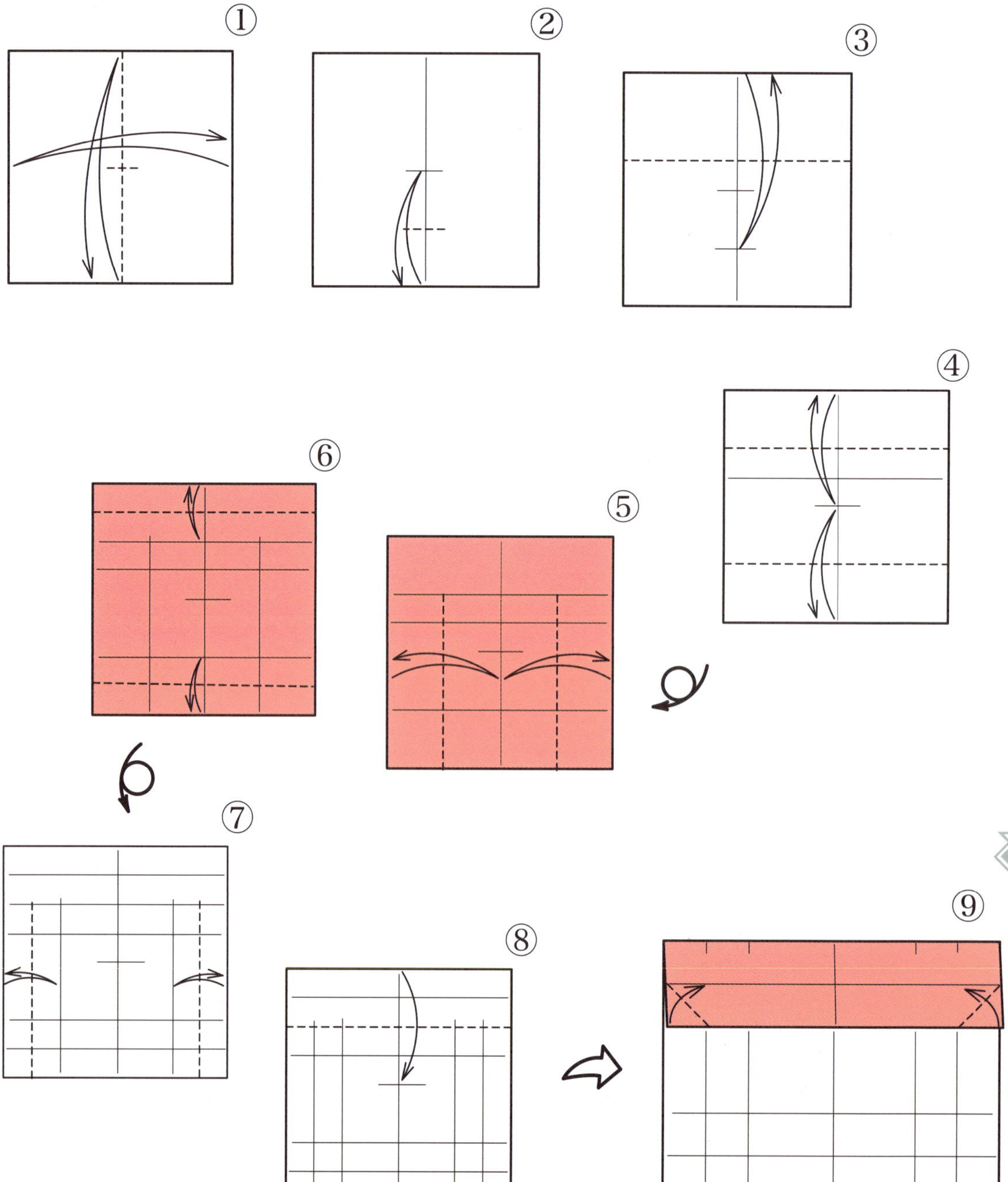

⑩

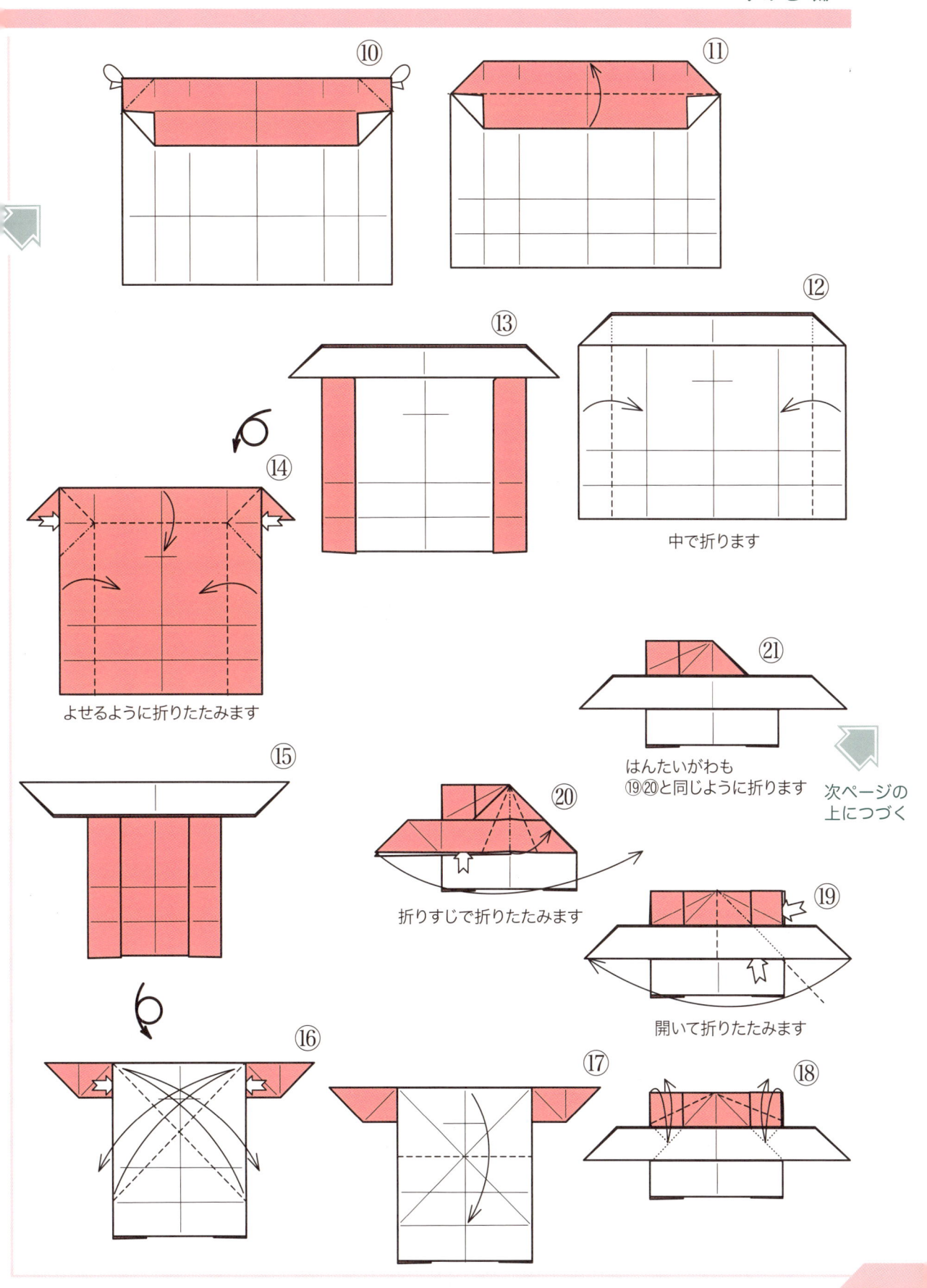

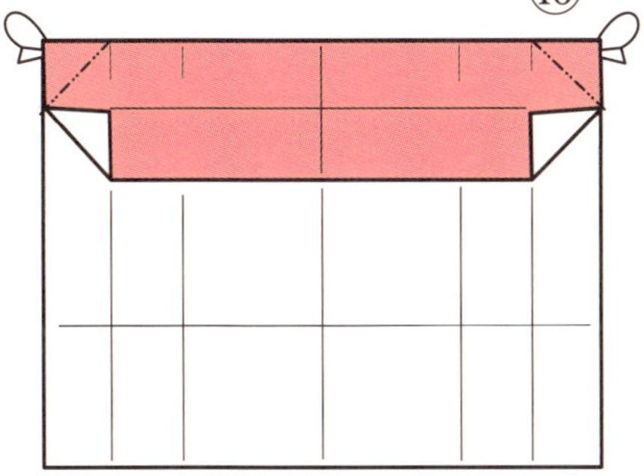

⑪

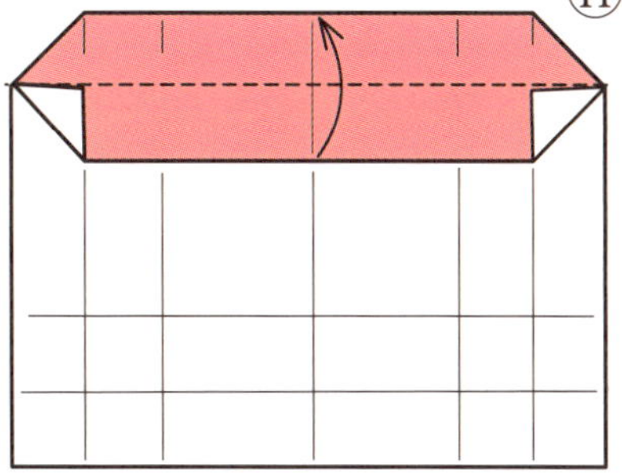

⑫

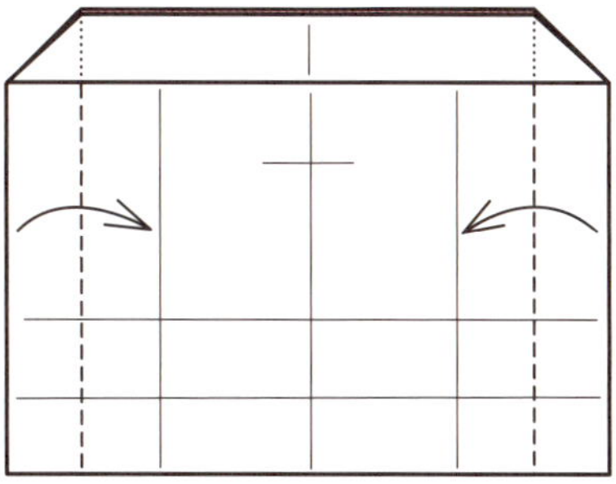

中で折ります

⑬

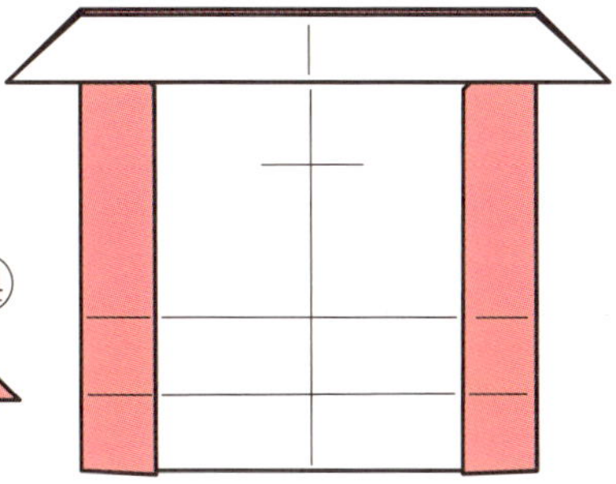

⑭

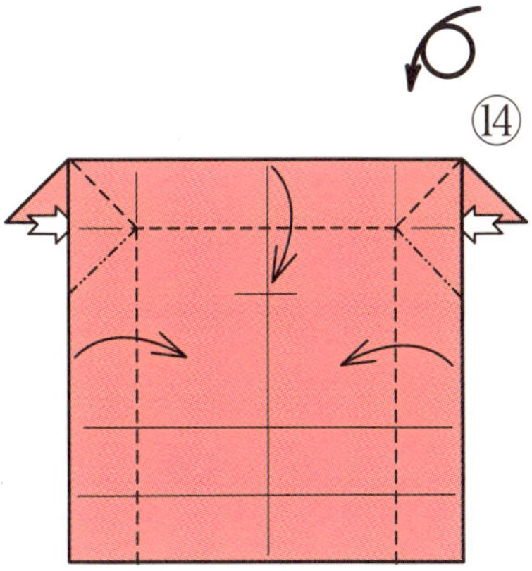

よせるように折りたたみます

⑮

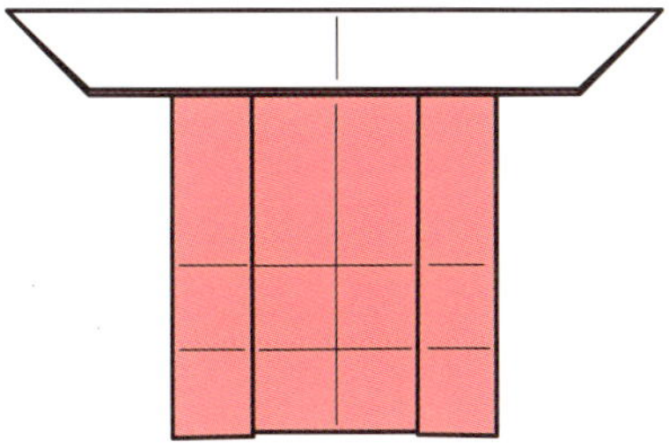

⑯

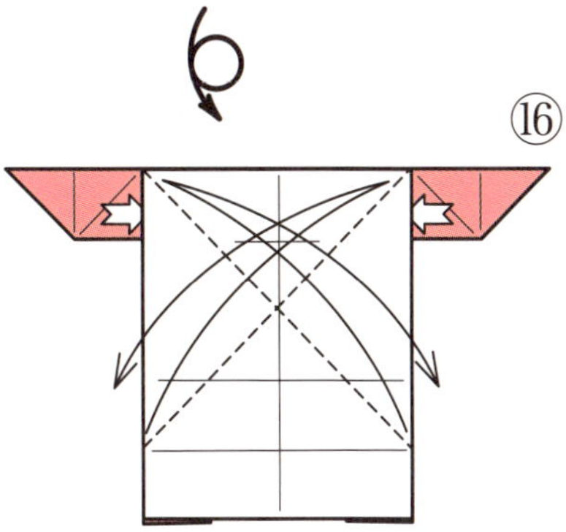

⑰

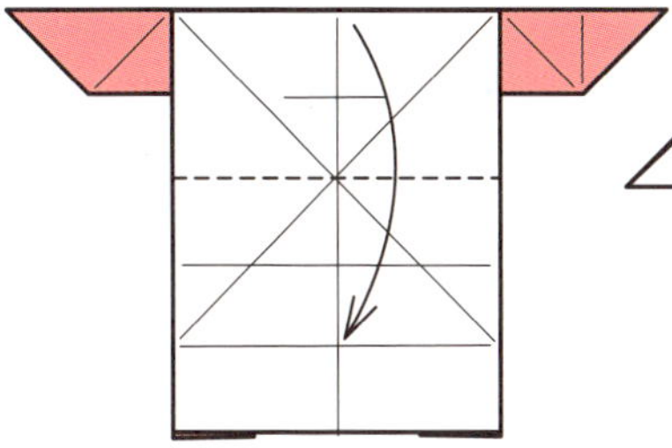

⑱

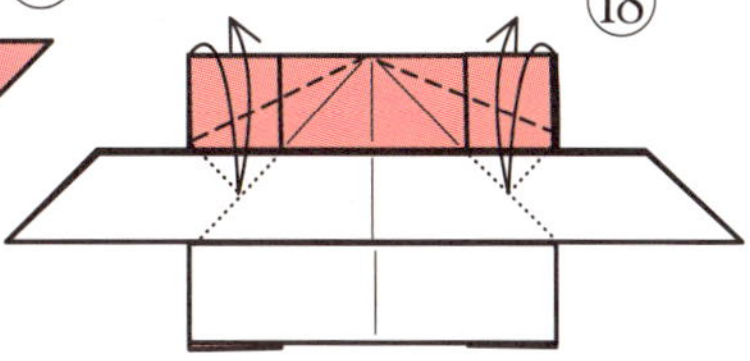

⑲

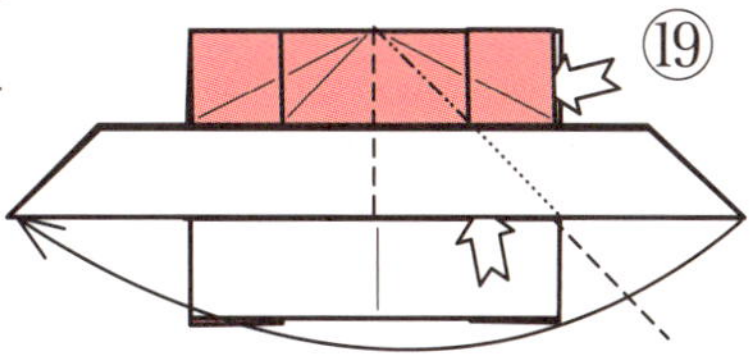

開いて折りたたみます

⑳

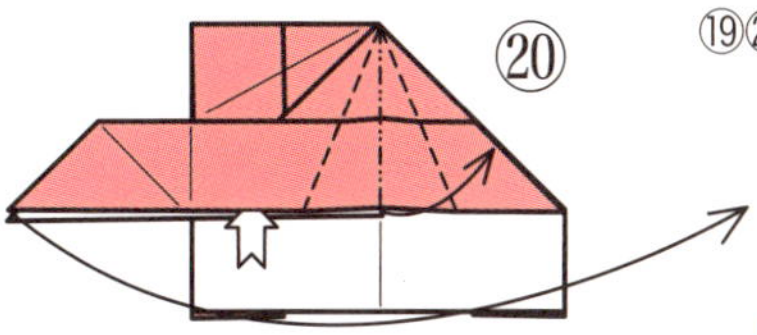

折りすじで折りたたみます

㉑

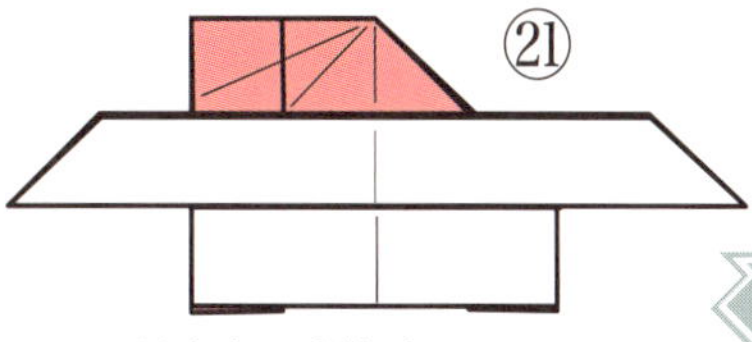

はんたいがわも
⑲⑳と同じように折ります

次ページの
上につづく

前ページから
つづく

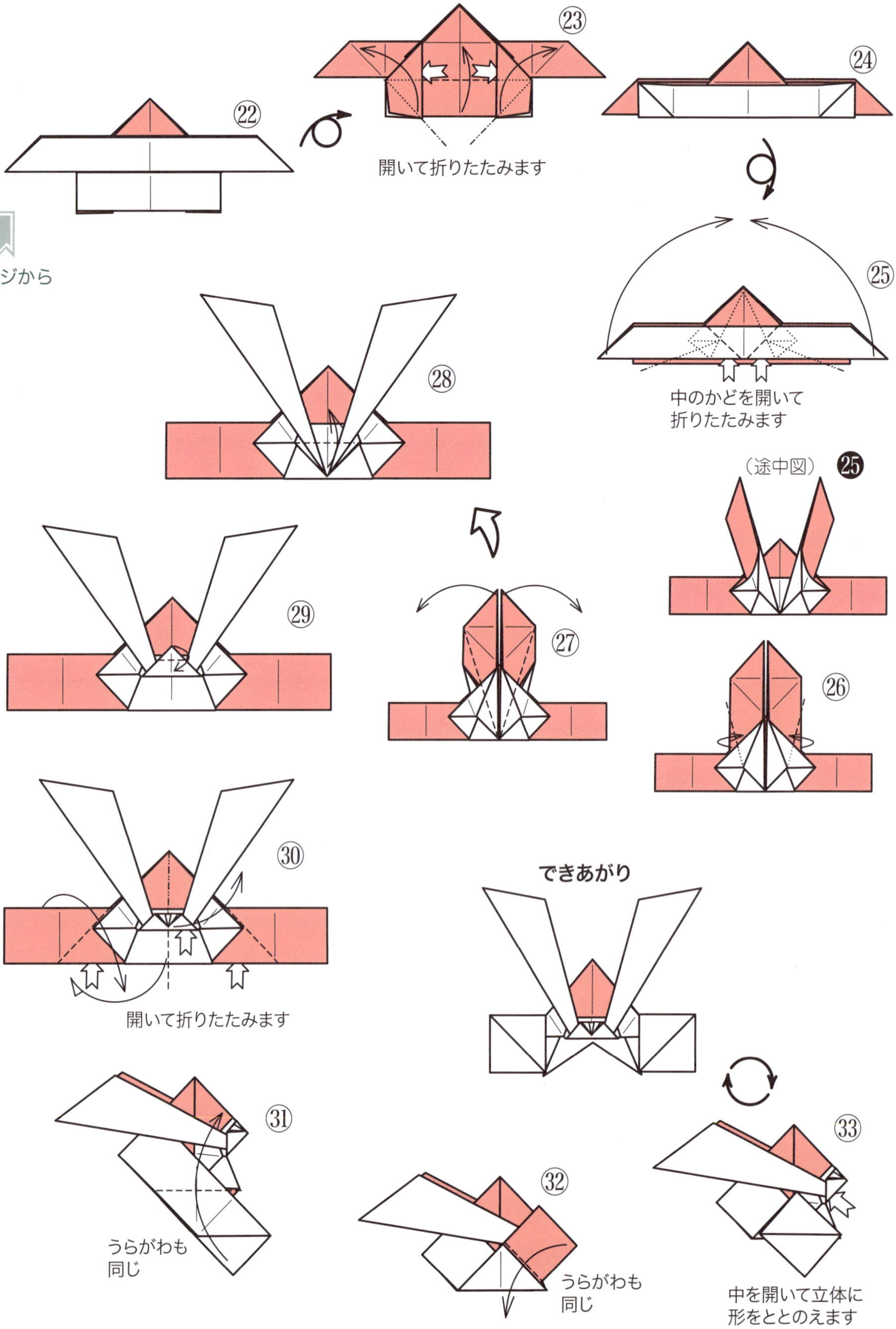
22
23
開いて折りたたみます
24
25
中のかどを開いて
折りたたみます
（途中図）25
26
27
28
29
30
開いて折りたたみます
できあがり
31
うらがわも
同じ
32
うらがわも
同じ
33
中を開いて立体に
形をととのえます

Box

収納台

箱にしまっていたかぶとを出し、そのまま箱が飾り台になる様子を、伝承作品の箱のバリエーションから表現しました。かぶとと同じ大きさの紙４枚で折りましょう。かぶとはできあがり直前の、平らに折りたたんだ状態で、箱の中に入ります。　使用する紙：同じ大きさの正方形４枚

はじめに「ざぶとん基本形」を折ります

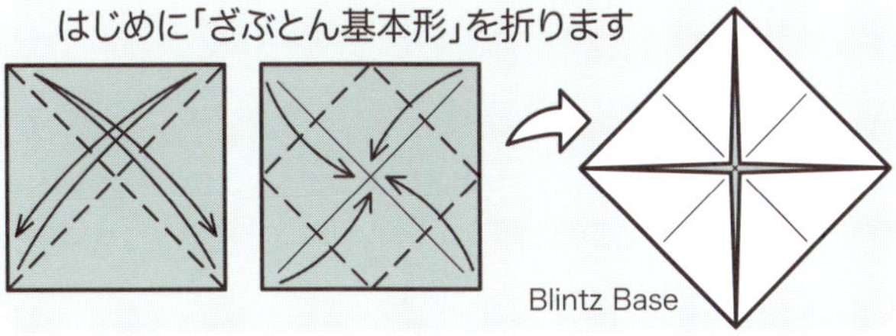

底　Bottom

①

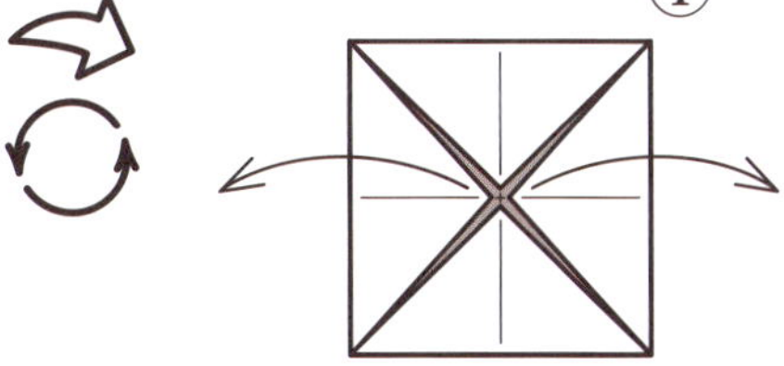

開きます

②

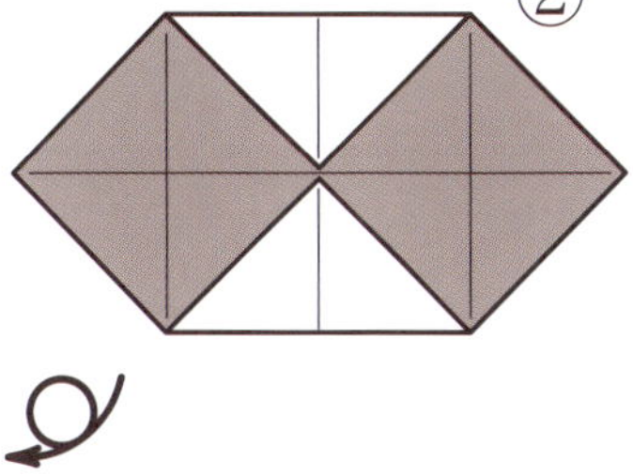

③

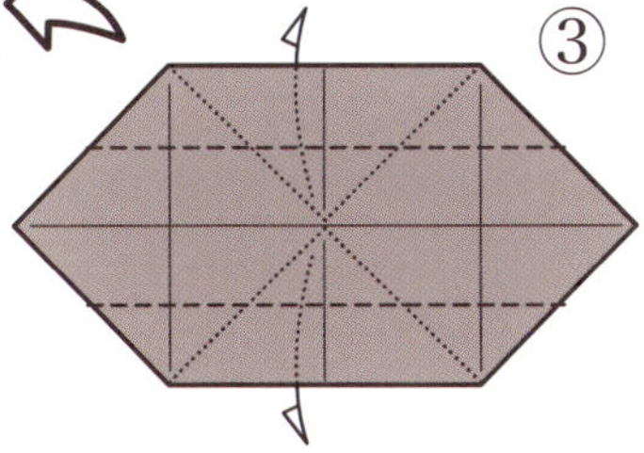

うしろの三角を
出しながら折ります

④

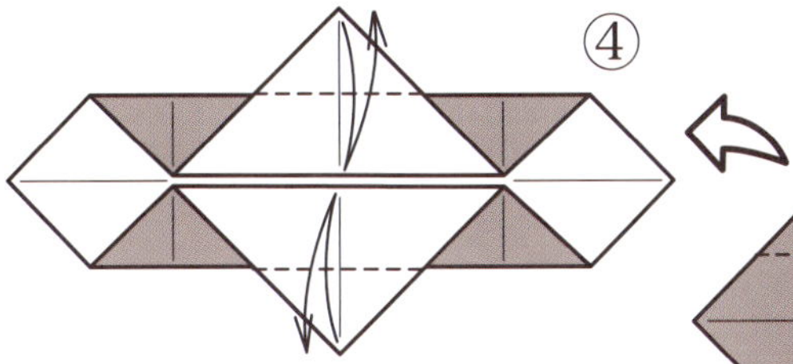

⑤

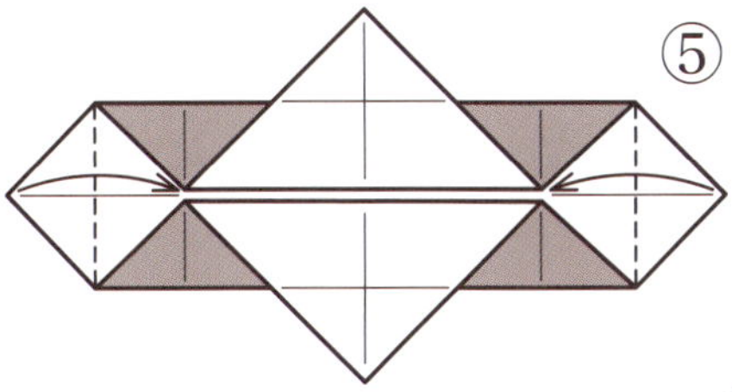

⑥

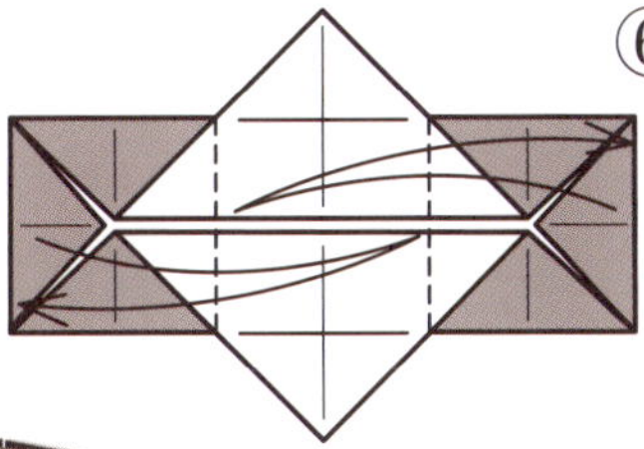

⑦

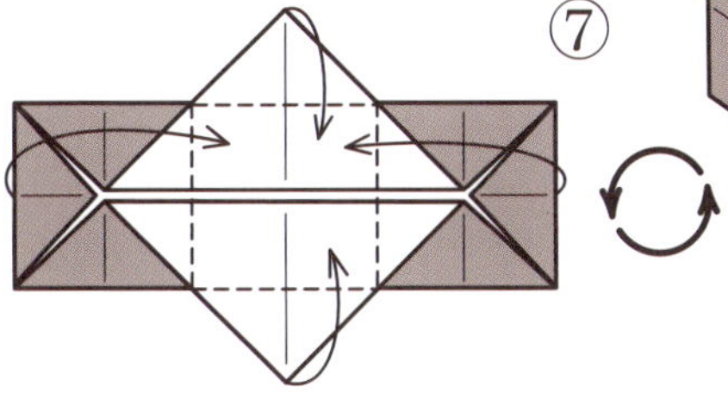

折って立てます

できあがり

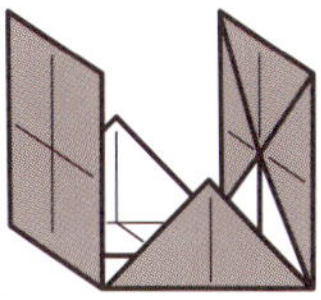

次ページの
上につづく

〔協力・写真提供：㈱吉德〕

前ページから
つづく

側面
Sides

はじめに「ざぶとん基本形」を折ります

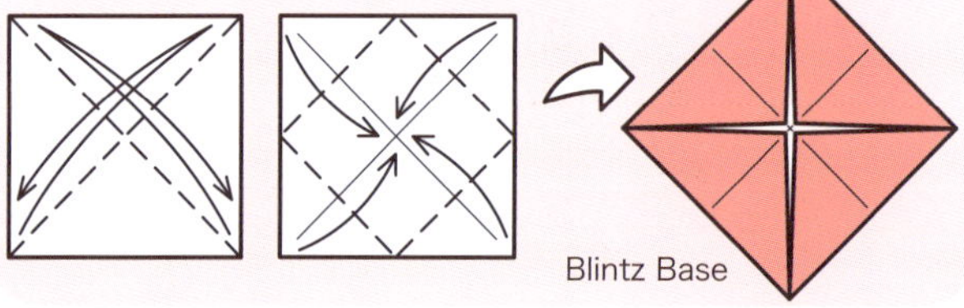
Blintz Base

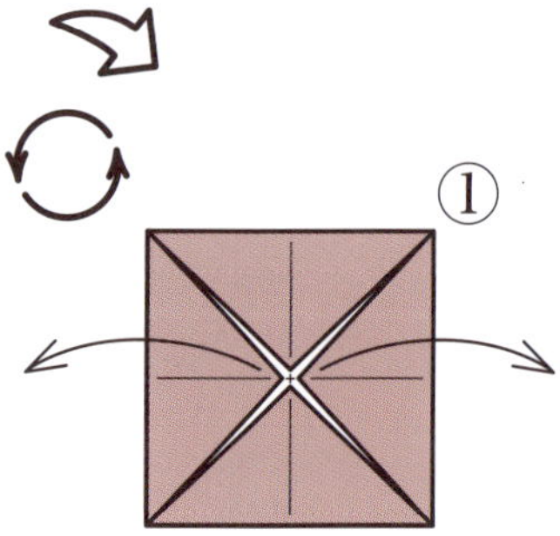
①

開きます

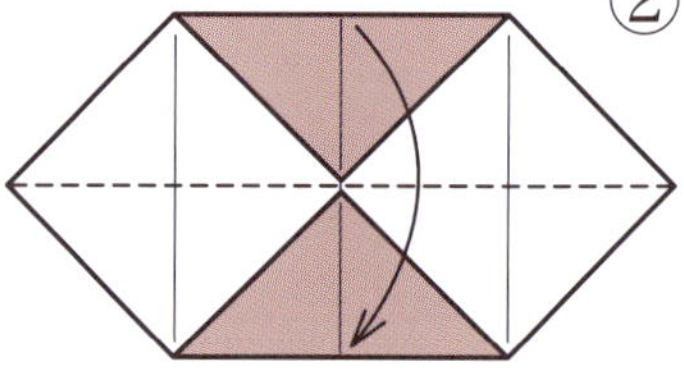
②

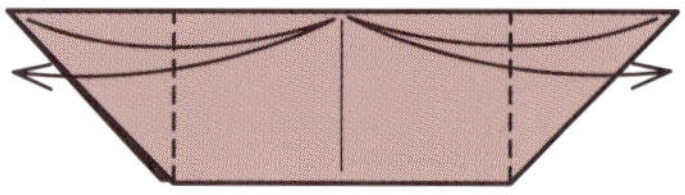
③

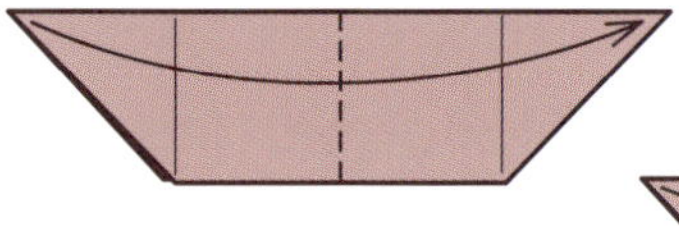
④

できあがり

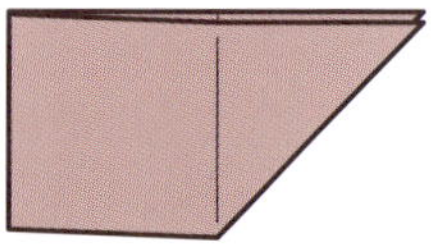

同じものを
もう1こ作ります

●本体の くみあわせかた●

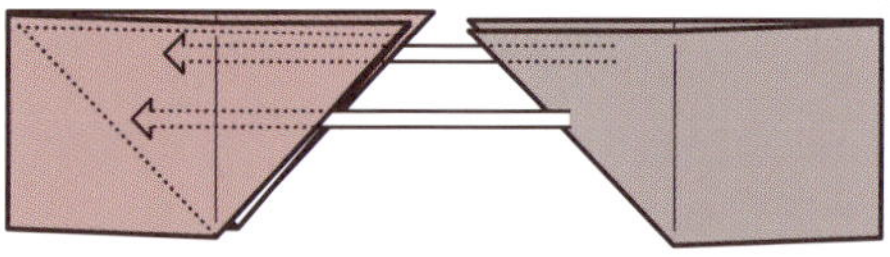
1

2か所のすきまに
それぞれさしこみます

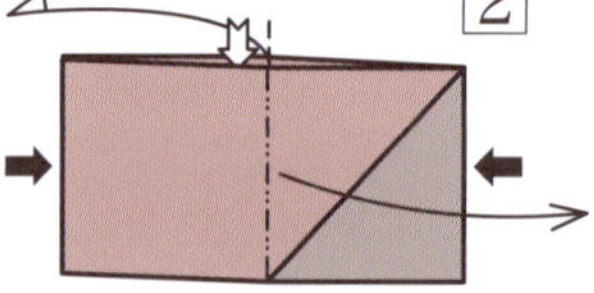
2

開いて立体に
形をととのえます

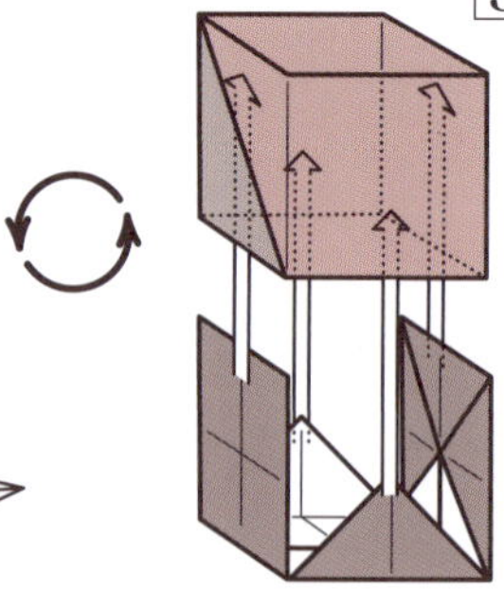
3

本体の下のすきまに
底をさしこみます

できあがり

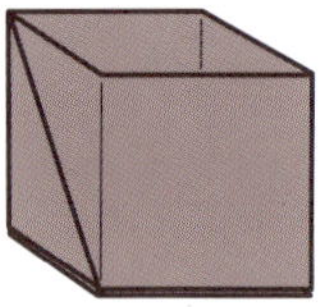

◆兜のおもな部分の名前◆

兜は頭にかぶる鉢と、その下縁に付いて首を守る錣で構成されている武具です。写真の兜は星兜で、鉄板をはぎ合わせる際に打つ鋲《びょう》の頭を「星」と呼んだことから付けられた名前です。なお、八幡座は天辺（兜のてっぺん）にある孔《あな》のまわりに据えられている飾り金具です。

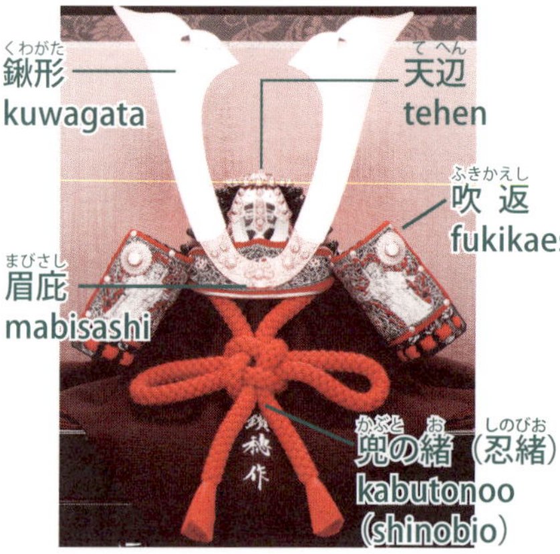
鍬形《くわがた》
kuwagata
天辺《てへん》
tehen
吹返《ふきかえし》
fukikaeshi
眉庇《まびさし》
mabisashi
兜《かぶと》の緒《お》（忍緒《しのびお》）
kabutonoo
(shinobio)

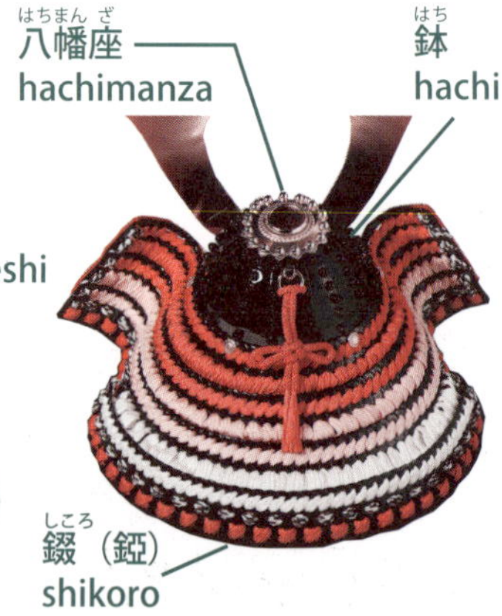
八幡《はちまん》座《ざ》
hachimanza
鉢《はち》
hachi
錣《しころ》（錏）
shikoro

〔協力・写真提供：㈱吉德〕

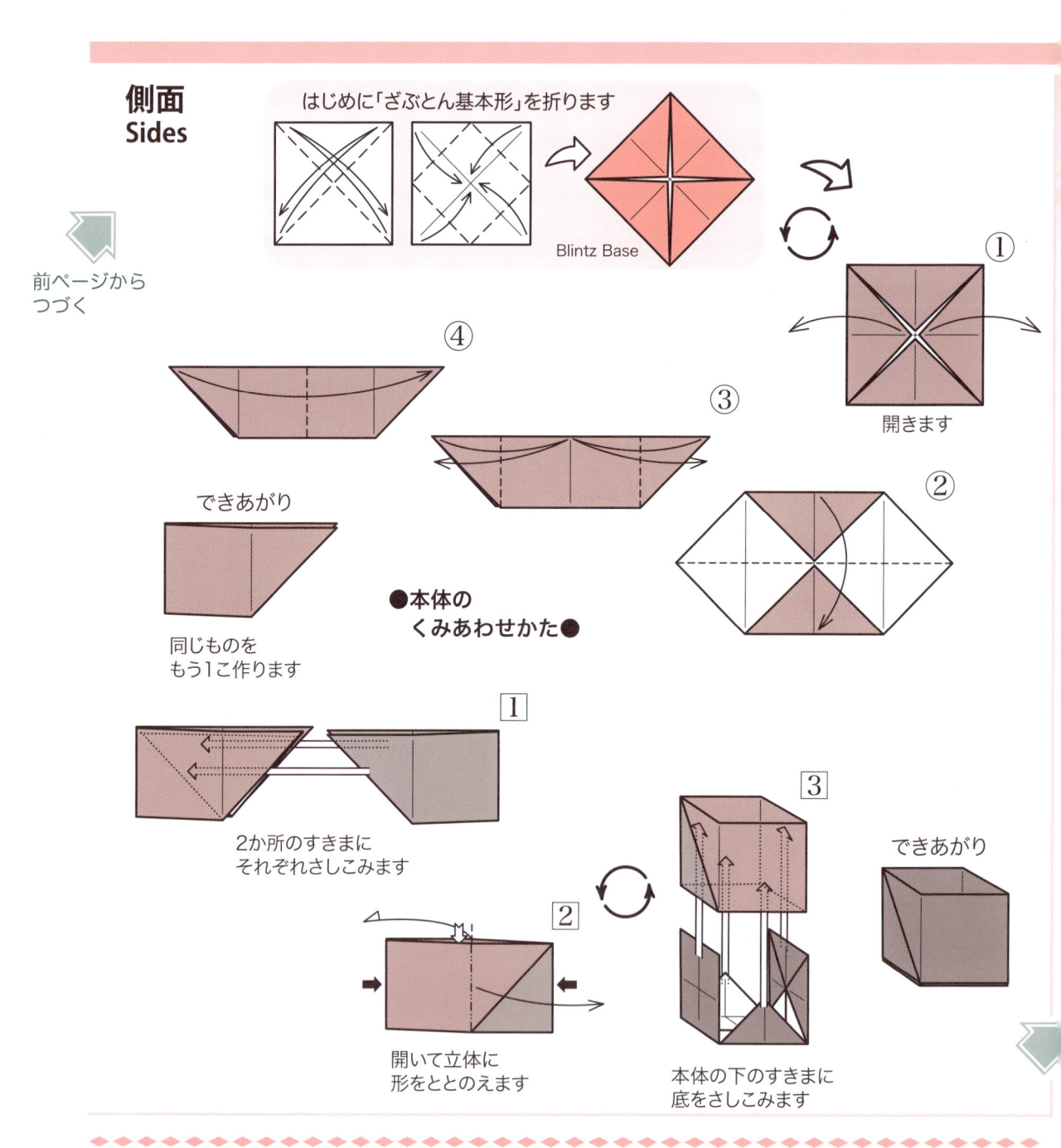

ふた
Lid

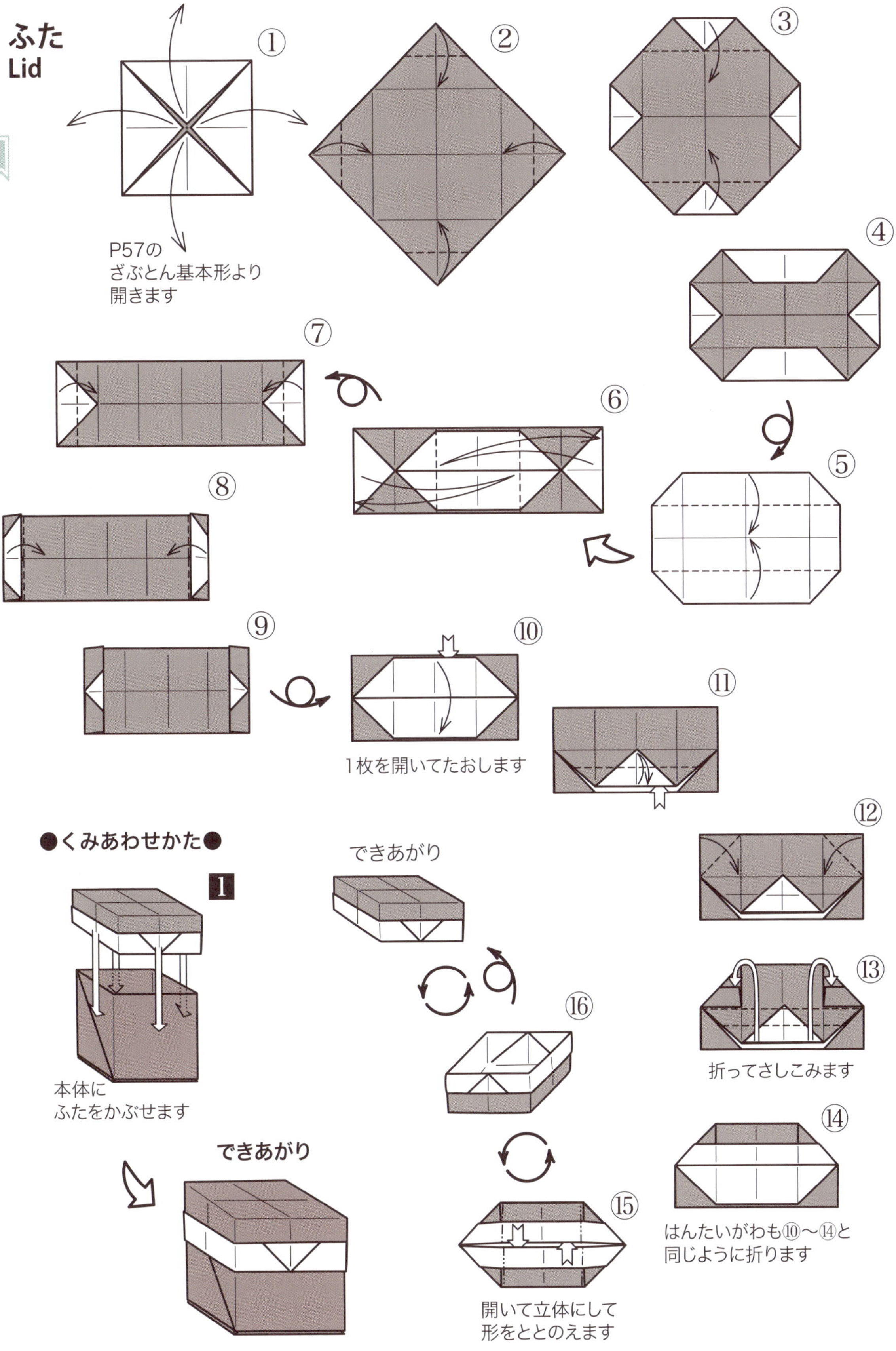
①
P57の
ざぶとん基本形より
開きます
②
③
④
⑤
⑥
⑦
⑧
⑨
⑩
1枚を開いてたおします
⑪
⑫
⑬
折ってさしこみます
⑭
はんたいがわも⑩〜⑭と
同じように折ります
⑮
開いて立体にして
形をととのえます
⑯
できあがり
●くみあわせかた●
1
本体に
ふたをかぶせます
できあがり

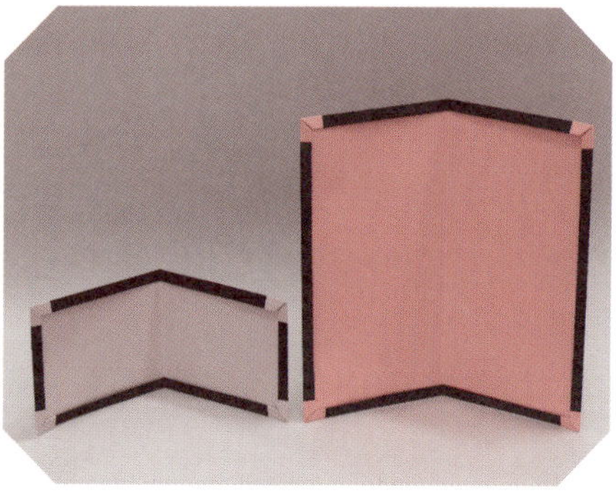

Screen

びょうぶ

ちょっと豪華な縁付きのびょうぶ。松野さんが考案されたものではありませんが、段折りを繰り返せば（「びょうぶ折り」ともいいます）、おひな様にも使える、作者知れずの小物です。（編）

使用する紙：長方形または正方形１枚

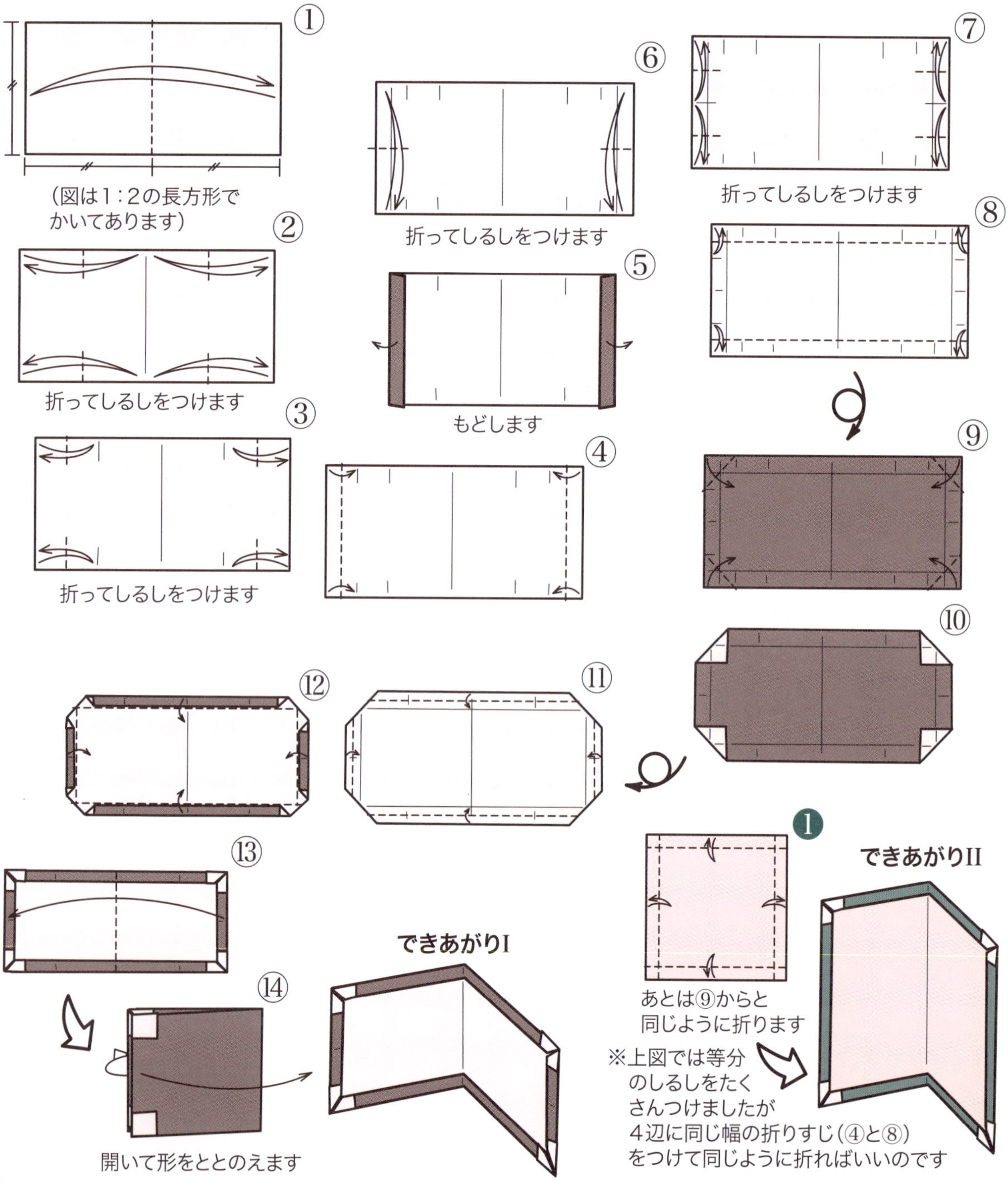
①
（図は1：2の長方形でかいてあります）
②
折ってしるしをつけます
③
折ってしるしをつけます
④
⑤
もどします
⑥
折ってしるしをつけます
⑦
折ってしるしをつけます
⑧
⑨
⑩
⑪
⑫
⑬
⑭
開いて形をととのえます
できあがりI
❶
あとは⑨からと同じように折ります
※上図では等分のしるしをたくさんつけましたが4辺に同じ幅の折りすじ（④と⑧）をつけて同じように折ればいいのです
できあがりII

《作者の松野幸彦さんにききました》

（問：編集部）

▶折り紙を始めたのは、いつごろ、どのようなきっかけだったのでしょうか？

実は、折り紙との出会いは遅く、30歳近くなってからです。あるとき、エリマキトカゲを折っている方がいて、折り紙といえば伝承作品しか知らなかった私にとっては結構刺激的で、折り紙をいじりはじめるきっかけとなりました。しかし、創ったものを発表する手段がなければ、創作折り紙を現在まで継続できなかったと思います。『月刊おりがみ』の存在は貴重でした。

＊

▶折り紙の用紙は15cm角のごく一般的な「いろがみ」を好んでお使いのようですが。

一般的な折り紙が15cm角なのには、理由があるのだと思います。それは、手になじみやすく、あつかいやすい大きさである点、ならば、「造形遊び」的要素の強い創作折り紙にも、15cm角の折り紙で無理なく折ることのできる作品が求められているのだと思います。

＊

▶作風として、工程数の多さや細部へのこだわりを避けているようですね。

創作については、素材の特徴をとらえ、なるべくシンプルな形での表現と、スマートな折りの工程を理想としています。ですから、ディテールにはとらわれず、余分な折りは極力排除したいと考えています。紙のサイズの話と共通しますが、「折りすぎない」で作りたいのです。

＊

▶既存の、あるいは独自の「基本形」からの発展について。

伝承折り紙の「基本形」の特徴は、理解の容易さと折りやすさにあります。だか

NOA おりがみ ガーデン
NOA
おりがみガーデン
エリマキトカゲ
大集合！

▲ブームだった当時、日本折紙協会にも、エリマキトカゲの折り紙がたくさん投稿されました
『月刊おりがみ109号（1984年9月号）』より

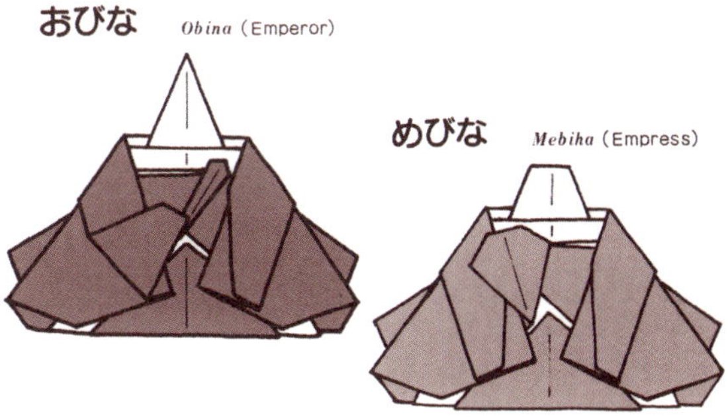
おびな *Obina* (Emperor)
めびな *Mebiha* (Empress)

▲『109号』に、松野さんの創作作品の折り図が初めて掲載されました（以下は当時のコメントより）
「この作品は、私の創作折り紙、第一作目です。色々な折りびなを見ているうちに、笏や扇も１枚の紙から折り出してみたい、と思ったのが、この作品を作った理由です」

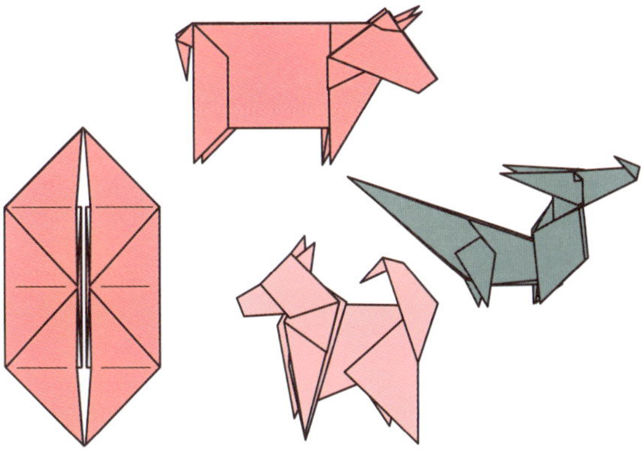

▲「ぶたの基本形」からは、本書では「うし」「たつ」「いぬ」の３種の動物ができます

らこそ、現在まで折り継がれてきました。しかし、伝承の基本形では思うようなデザインができない時には、新たなベースとなる形を探します。優れたベースとなる形を単純な方法で変形し作品ができれば、わかりやすい折り紙になると思います。

*

▶立体的な作品でも、工程の最初の方で立体化させないのですね。

紙を折る作業は、平面で行う方が進めやすいものです。ですから、立体作品についても、立体化は折りの終了後がベストです。それは、伝承折り紙の、鶴や風船、箱などに見られる方法でもあり、立体化する時に形が変化する楽しさにもつながります。

*

▶ひとつのテーマを追い続けている印象がありますが。

兜やサカナ、動物、星、恐竜、サンタなど、一つの作品を作って、その時は満足できていても、後になるとデザインや折り方など、きれいでわかりやすい別な方法もあったのでは、と思い始め新たな創作につながることがよくあります。そのため、同じ題材での作品も多くなります。

*

▶やはり「動物折り紙」がお好きなのでしょうか。

作品は、それ自体で完結したものとして、作りたいと思っています。飾り方や遊び方などを考えなくても、そのまま楽しめる作品として、動物、サカナ、恐竜などは、それに適していると思います。

*

▶折り紙作品の創作を楽しもうと思っている読者の皆さんに、ひとこと。

自分なりのこだわりを持って作ることは必要で、こだわりのないところに良い作品は生まれないと思っています。

▲『315号』の「おりがみギャラリー」のコーナーで紹介された「どうぶつ -ぶたの基本形より-」。恐竜やサカナにもなります(以下は当時のコメント要約)
「折り紙の世界は、基本形の複合や変形、基本形にこだわらない発想など、折り出しの時点でさまざまな工夫をこらすことで大きな発展をとげてきました。より写実的な表現やパズル的要素の反面、難解でマニアックなものになったのも事実です。そこで今回は簡単に折り紙を楽しんでみようということで、動物を折り出すのに必要な6個のかどを持つ『ぶたの基本形』を選択しました。どの作品も、『ぶたの基本形』を思い浮かべてもらえれば、それぞれのかどがどの部分に当たるのか理解しやすいと思います。基本形のどの部分をどこに見立てていくかという作業は楽しいものでした。短期間で予想外に多くの作品ができてしまったのは"おそるべし基本形"といったところでした」

(P45-47松野さんの「ぶた」の⑮)

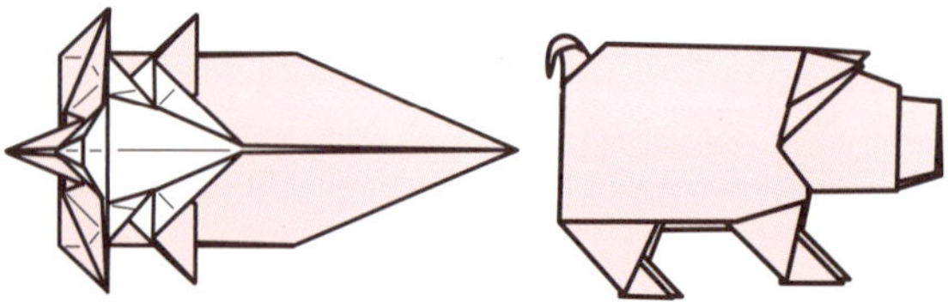

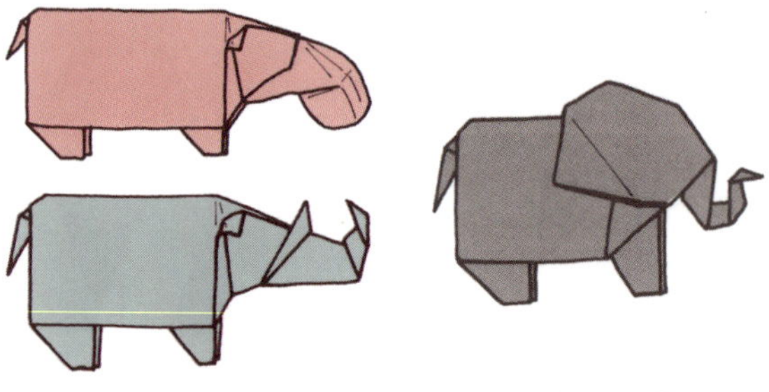

▲松野さん創作の、本書P45-47「ぶた」の⑮の形も、他のいろいろな動物に発展させることができる共通の基本形です。図の「カバ」「サイ」「ゾウ」は『147号』に、「うし」は『157号』に掲載されました

《お知らせ》

~やさしさの輪をひろげる~

おりがみ

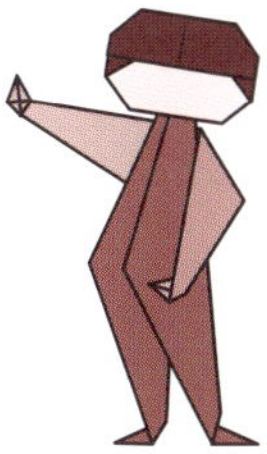

日本折紙協会の
マスコット
「ノアちゃん」

■日本折紙協会とは…

1枚の紙から折り出される、花や動物や箱…日本に古くから伝わる文化として一人一人の心の中にいきづいてきた折り紙のすばらしさは、いま、世界共通語「ORIGAMI」として、世界にはばたいています。

趣味・教育・リハビリテーション効果などさまざまな可能性を持つ「折り紙」を、日本国内はもとより、世界の国々まで普及させよう、という思いから、1973年(昭和48年)10月27日、日本折紙協会が結成されました。

日本折紙協会は、月刊『おりがみ』の発行や、「世界のおりがみ展」の開催をはじめ、次のような活動を行っています。

- **●《折紙シンポジウム》の開催**
- **●《11月11日「おりがみの日」記念イベント》の開催**
- **●《折紙講師》《折紙師範》《上級折紙師範》認定制度**
- **●《日本折紙博物館》と提携**(石川県加賀市)
  日本折紙博物館のURL
  http://www.origami-hakubutsukan.ne.jp

月刊「おりがみ」定期購読で、あなたも会員になれます

●月刊「おりがみ」

会員の方々の楽しい創作作品をわかりやすい折り図で紹介。季節にあわせた折り紙が、毎月15～20点、あなたのレパートリーに加わります。毎月1日発行。(A4判・50頁) 年間購読料(年会費):9,000円(税込み/送料サービス)

日本折紙協会 (東京おりがみミュージアム) のご案内

日本折紙協会事務局ではギャラリーを常設、月刊「おりがみ」のバックナンバー、単行本、折り紙(用紙)など、各種折り紙関連商品を販売。2階講習室では定期的に折り紙教室を開催しています。

日本折紙協会
東京おりがみミュージアム

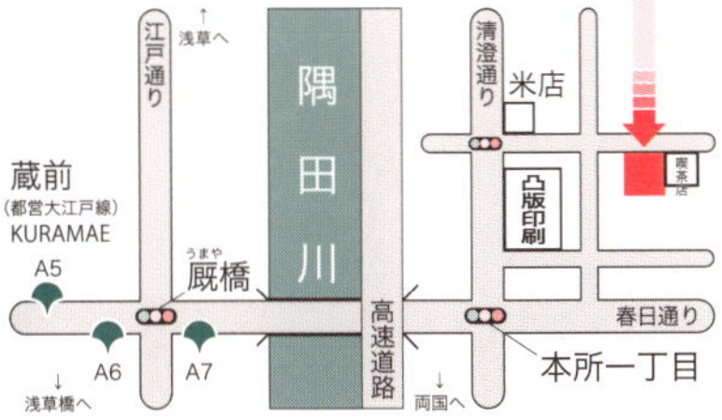

▲正面入口

▲ギャラリー

交通/「蔵前」駅(都営大江戸線)A7出口より徒歩約12分(都営浅草線蔵前駅はA2出口)
※「浅草」駅(東京メトロ銀座線ほかA2出口)も利用できます
営業時間/9:30～17:30
休業日/土・日でない祝祭日(都合により臨時休業があります)

NIPPON ORIGAMI ASSOCIATION
日本折紙協会
〒130-0004 東京都墨田区本所1-31-5
TEL.03-3625-1161 FAX.03-3625-1162
URL http://www.origami-noa.jp/ 電子メール info@origami-noa.com

干支《えと》とかぶとを折る
～松野幸彦おりがみ作品集～

Twelve animal signs and Japanese helmets by Mr. Yukihiko MATSUNO

2013年　9月14日　初版発行

発　行　者　大橋晧也
編集／発行　日本折紙協会
〒130-0004
東京都墨田区本所1-31-5
TEL　03-3625-1161
FAX　03-3625-1162
URL　http://www.origami-noa.jp/
電子メール　info@origami-noa.com（事務局）
henshubu@origami-noa.com（編集部）
郵便振替口座　00110-6-188035

作品創作　松野幸彦
折り図・デザイン　松野幸彦・山田勝久・青木 良・藤本祐子・編集部
写　真　松野 等・編集部
作品制作　出雲奈津子・編集部
印刷・製本　昭栄印刷株式会社

ISBN 978-4-931297-99-9　C2076